# 가람유사
은해사 I 자료모음

이 책은 문화체육관광부의 지원 한국불교 스토리콘텐츠 크리에이트 허브 사업과

은해사의 도움으로 간행되었습니다.

가람유사 은해사 I
자료모음

동국대학교
출판문화원

프롤로그.
# 하늘과 산천이 어우러져 부처의 바다를 세우다

   1) 『제왕운기帝王韻紀』 권하卷下 「처음에 누가 나라를 세워 세상을 열었는
      가初誰開國啓風雲」_ 17


1. 하늘은 산에 내리고, 산은 땅을 보듬어 안고
   1) 『삼국사기三國史記』 권 제2 「신라본기新羅本紀」편 조분 이사금助賁 尼師今 조 _ 18
   2) 『삼국사기三國史記』 권 제4 「신라본기新羅本紀」편 지증 마립간智證 麻立干 조 _ 19
   3) 『삼국사기三國史記』 권 제32 「잡지雜志」편 제사祭祀 조 _ 19
   4) 『삼국사기三國史記』 권 제32 「잡지雜志」편 제사祭祀 조 _ 19
   5) 『삼국사기三國史記』 권 제32 「잡지雜志」편 제사祭祀 조 _ 20
   6) 『삼국유사三國遺事』 권 제1 「기이紀異」편 김유신金庾信 조 _ 20


2. 뭇 삶을 지키려는 믿음으로 부처를 모시다

{ 목차 }

## 제1장 중악中岳 공산公山에 새긴 자비의 서원, 해안사海眼寺

1. 약사여래부처님을 끌어안은 중악中岳 공산公山
   1) 『삼국사기三國史記』 권 제10 「신라본기新羅本紀」편 원성왕元聖王 조 _ 24
   2) 『삼국사기三國史記』 권 제10 「신라본기新羅本紀」편 애장왕哀莊王 조 _ 25
   3) 『삼국유사三國遺事』 권 제2 「기이紀異」편 원성대왕元聖大王 조 _ 25

2. '해안海眼'에 담은 서원
   1) 『삼국사기三國史記』 권 제32 「잡지雜志」편 제사祭祀 조 _ 27
   2) 『삼국유사三國遺事』 권 제5 「감통感通」편 선도성모수희불사仙桃聖母隨喜佛事 조 _ 27
   3) 『삼국유사三國遺事』 권 제3 「흥법興法」편 원종흥법原宗興法 염촉멸신猒髑滅身 조 _ 28
   4) 『삼국유사三國遺事』 권 제5 「신주神呪」편 밀본최사密本摧邪 조 _ 29
   5) 「팔공산은해사사적비八公山銀海寺事蹟碑」 _ 30
   6) 『대방광불화엄경大方廣佛華嚴經』 「이세간품離世間品」 _ 38
   7) 「곡성 대안사 적인선사탑비谷城大安寺寂忍禪師塔碑」 _ 39

은해사 I 자료모음 **5**

## 제2장 부처님 세계[佛世界海]가 펼쳐진 공산公山

1. 산 자에게 행복을, 죽은 자에게 왕생을
    1) 『동국이상국집東國李相國集』 제25권 잡저雜著 _ 50

2. 공산公山에서 움튼 정혜결사
    1) 『권수정혜결사문勸修定慧結社文』_ 53
    2) 『권수정혜결사문勸修定慧結社文』_ 53
    3) 『고려사절요高麗史節要』 권 제12 명종 10년 7월 조 _ 54
    4) 『고려사절요高麗史節要』 권 제12 명종 11년 7월 조 _ 54
    5) 『고려사절요高麗史節要』 권 제1 명종 1년 1월 조 _ 55
    6) 『고려사절요高麗史節要』 권 제12 명종 4년 1월 조 _ 56
    7) 『조선불교월보朝鮮佛教月報』 제19호 _ 58
    8) 『대방광불화엄경大方廣佛華嚴經』 「여래출현품如來出現品」_ 58
    9) 『권수정혜결사문勸修定慧結社文』_ 59
    10) 『권수정혜결사문勸修定慧結社文』_ 59
    11) 『권수정혜결사문勸修定慧結社文』_ 61
    12) 『권수정혜결사문勸修定慧結社文』_ 62

{ 목차 }

3. 중생불국의 염원을 담은 공산公山
   1)「보각국사비명普覺國師碑銘」_ 62

## 제3장 불은佛恩의 묘법해妙法海, 은해사銀海寺로 자리잡다

1. 왕실은 불은佛恩에 가피를 구하고 : 인종 태실을 품고 공산본사公山本寺가 되다
   1)『중종실록中宗實錄』권 제30 중종 12년 11월 23일 을미 조 _ 77
   2)『세종실록世宗實錄』권 제74 세종 18년 8월 8일 신미 조 _ 78

2. 해안海眼의 뜻을 이어 받아 은해銀海로 나아가다
   1)「은해사연혁변銀海寺沿革辨」1879년, 고종16 _ 79
   2)「이탄지 묘지명李坦之墓誌銘」1152년, 의종6 _ 84

3. 은해사, 왕실 수호로 재부흥을 이루다
   1)『명종실록明宗實錄』권 제10 명종 5년 9월 5일 을미 조 _ 88
   2)『명종실록明宗實錄』권 제21 명종 11년 12월 1일 병술 조 _ 89
   3)『명종실록明宗實錄』권 제13 명종 7년 5월 29일 경술 조 _ 91

4) 「영천군 은해사 사적永川郡銀海寺事蹟」_ 91
   5) 「순영제음巡營題音」_ 101
   6) 『태재선생문집泰齋先生文集』 「운부사雲浮寺」1815 _ 101
   7) 『가산고伽山藁』 「석담대사상찬石潭大師像讚」1852 _ 102
   8) 『함홍당집涵弘堂集』 「근차백흥암판상운謹次百興庵板上韻」1879 _ 102

## 제4장 숭유억불崇儒抑佛을 넘어 화엄강학의 선찰禪刹로 우뚝서다

1. 운부암, 화엄강학華嚴講學의 시발점이 되다
   1) 『화엄품목문목관절도華嚴品目問目貫節圖』 「모운대로행적慕雲大老行蹟」_ 104
   2) 『산중일기山中日記』 5월 30일 신축 조 _ 104

2. 영파성규, 은해사에 화엄강학을 꽃피우다
   1) 『숙종실록肅宗實錄』 권 제12 숙종 7년 7월 9일 경신 조 _ 105
   2) 『숙종실록肅宗實錄』 권 제11 숙종 7년 6월 5일 병술 조 _ 107

3. 숭유억불을 넘어 선찰禪刹의 향기를 품고 우뚝서다
   1) 『백암정토찬栢庵淨土讚』 「사운四韻」 54수 _ 107

{ 목차 }

## 제5장 1200년 묘법해妙法海에 깃든 극락세계를 찾아서

1. 칠세七世부모의 극락왕생을 기원하다
    1) 「순영제음巡營題音」_ 109
    2) 『욕상공덕경浴像功德經』_ 110
    3) 『석문의범釋門儀範』_ 111

2. 은해사 괘불탱화, 나라의 안녕을 소원하다 : 모란꽃비로 장엄한 부처님 세계

3. 또 하나의 극락세계, 태실수호사찰 백흥암
    1) 「완문完文」_ 112
    2) 『명종실록明宗實錄』 권 제3 명종 1년 4월 24일 경술 조 _ 113
    3) 「백흥암중흥유공기百興菴重興有功記」_ 113
    4) 「백흥암 상량문 종도리 묵서百興庵上樑文宗道理墨書」_ 115
    5) 『함홍당집涵弘堂集』 「근차-백흥암판상운謹次百興庵板上韻」_ 115
    6) 「백흥암중창기百興庵重刱記」_ 116
    7) 『이아爾雅』_ 117
    8) 『상촌선생집象村先生集』 4권 「계지수행桂之樹行」_ 118

9) 『양촌집陽村集』「기린굴麒麟窟」_ 119
10) 『태종실록太宗實錄』 권 제36 태종 18년 11월 8일 갑인 조 _ 120
11) 『정조실록正祖實錄』 권18 정조 8년 12월 5일 병술 조 _ 120
12) 『영조실록英祖實錄』 권 제35 영조 9년 8월 6일 갑인 조 _ 121
13) 『태종실록太宗實錄』 권 제22 태종 11년 윤12월 25일 신사 조 _ 122
14) 『모시정의毛詩正義』_ 123
15) 『상촌고象村稿』「조롱수朝隴首」_ 123
16) 『성종실록成宗實錄』 권 제83 성종 8년 8월 30일 갑자 조 _ 124


## 제6장 은해사가 품고 있는 암자 이야기

1. 운부암, 묘법해를 일구었던 선지식들의 수행도량
   1) 『태재집泰齋集』_ 125

2. 우리네 모습이 담겨 있는 오백나한 도량, 거조사

3. 사바세계에 머물러도 마음은 극락, 기기암

{ 목차 }

4. 영험한 수행도량이자 산신山神터, 묘봉암
 1)『가산고伽山藁』「석담대사상찬石潭大師像讚」_ 126

5. 바위틈 사이를 지나 중담암 이야기 속으로
 1)『삼국사기三國史記』권 제41 「열전列傳」편 김유신金庾信 조 _ 126

6. 상서로운 구름이 흐르는 서운암


## 제7장 은해사 고승전

1. 경산삼성慶山三聖과 은해사
 1)『삼국유사三國遺事』권 제4 「의해義解」편 원효불기元曉不羈 조 _ 129

2. 영파성규影坡聖奎, 은해사에 화엄을 펼치다
 1)「은해사영파대사비銀海寺影波大師碑」_ 130
 2)『동사열전東師列傳』「영파강사전影波講師傳」_ 137

3. 운봉성수雲峰性粹, 은해사에서 출가 발심하여 근대 선지식이 되다
   1)『운봉선사 법어』「출가出家」_ 140
   2)『운봉선사 법어』「백암산 운문암 타몽白巖山雲門庵打夢」_ 140
   3)『운봉선사 법어』_ 141

4. 동곡당 일타東谷堂 日陀, 율도량을 꿈꾸다
   1)「은해사 율도량으로 거듭 탄생」 불교신문 _ 142
   2)「일타스님 게송」_ 144

5. 육문六文스님, 원력으로 비구니 전문 수행도량을 일구다.
   1)「[새해특집] 전국비구니회 11대 회장 육문스님」법보신문 _ 145
   2)「[부처님오신날 기획] 군위 법주사 육문스님 대담」 경북일보 _ 146
   3)「은해사 백흥암 육문스님」『월간해인』_ 146

6. 성철스님과 향곡스님의 운부암 인연이야기
   1)「구름위에 뜬 조사도량 운부암」『월간해인』_ 153

{ 목차 }

  2) 『벽암록碧巖錄』_ 156


## 제8장 은해사에 가야만 들을 수 있는 이야기

1. 은해사 향나무 전설이 품은 불교적 의미
  1) 『광찬경光讚經』1권 _ 157
  2) 『아비달마구사론阿毘達磨俱舍論』_ 157

2. 흰쥐 검은 쥐가 대웅전현. 극락보전으로 숨어든 이유
  1) 『불설비유경佛說譬喻經』_ 158
  2) 『징월대사시집澄月大師詩集』_ 158
  3) 『청허집淸虛集』_ 159

3. 환성사 전설에 담긴 수월관水月觀의 의미
  1) 『능엄경楞嚴經』_ 159

가람유사 은재사 I
자료모음

프롤로그.
# 하늘과 산천이 어우러져 부처의 바다를 세우다

### 1) 『제왕운기帝王韻紀』 권하卷下 「처음에 누가 나라를 세워 세상을 열었는가初誰開國啓風雲」

初誰開國啓風雲, 釋帝之孫名檀君.[本紀曰, '上帝桓因, 有庶子, 曰雄云云. 謂曰, "下至三危太白, 弘益人間歟." 故雄, 受天符印三箇, 率鬼三千, 而降太白山頂神檀樹下, 是謂檀雄天王也云云.' 令孫女飮藥, 成人身, 與檀樹神婚而生男, 名檀君. 據朝鮮之域, 爲王. 故尸羅, 高禮, 南北沃沮, 東北扶餘, 穢與貊, 皆檀君之壽也. 理一千三十八年, 入阿斯達山, 爲神, 不死故也.] 並與帝高興戊辰, 經虞歷夏居中宸. 於殷虎丁八乙未, 入阿斯達山爲神.[今九月山也, 一名弓忽, 又名三危, 祠堂猶在.] 享國一千二十八, 無奈變化傳桓因. 却後一百六十四, 仁人聊復開君臣[一作, 爾後一百六十四, 雖有父子, 無君臣.]

처음에 누가 나라를 세워 세상을 열었는가? 석제釋帝의 자손으로 이름은 단군檀君이라네.[본기本紀어 이르기를, '상제上帝 환인桓因에게 서자庶子가 있는데 환웅桓雄이라 하였다. 〈환인이 환웅에게〉 일러 말하기를, "〈땅으로〉 내려가 삼위태백三危太白에 이르면 인간을 널리 이롭게 할 수 있겠는가弘益人間?]" 라고 하였으므로 환웅은 천부인天符印 3개를 받고 귀신 3,000명을 데리고 태백산太白山 꼭대기 신단수神檀樹 아래로 내려왔으니, 이 분을 일러 단웅천왕檀雄天王이라 하였다.'라고 하였다. 손녀孫女에게 약을 먹여 사람의 몸이 되게 하고 단수신檀樹神과 혼인하지 하여 남자 아이를 낳게 하니, 이름하여 단군이라 하였다. 조선의 영역에 자리잡고 왕이 되었다. 그리하여 시라尸羅, 고례高禮, 남북 옥저沃沮, 동북 부여夫餘, 예濊와 맥貊이 모두 단군의 후손이었다. 1,038년을 다스리다가 아사달阿斯達 산에 들어가서 산신이 되었으니, 〈이는 단군이〉 죽지 않은 까닭이다.] 요堯 임금과 함께 무진년에 나라를 세워 순舜 임금 때를 지나 하夏나라 때까지 왕위에 계셨도다. 은殷나라 무정武丁 8년 을미년에 아사달 산으로 들어가 산신이 되었네.[지금의 구월산九月山으로 일명 궁홀弓忽 또는 삼위三危라고 부르는데, 사당祠堂이 아직도 있다.] 나라를 다스린 지가 1,028년으로, 어찌 변화시켜 환인께 전할 것이 없었겠는가? 그 뒤 164년 만에 어진 사람이 군신君臣관계를 다시 열었도다.[다른 곳에서는 이후 164년 동안 비록 부자관계는 있었으나 군신관계는 없었다고 되어 있다.]

출전: 국사편찬위원회 한국사데이터베이스 http://db.history.go.kr

## 1. 하늘은 산에 내리고, 산은 땅을 보듬어 안고

### 1) 『삼국사기三國史記』 권 제2 「신라본기新羅本紀」편 조분 이사금助賁 尼師今 조 김부식, 1145 : 골벌국을 복속하다

七年, 春二月, 骨伐國王阿音夫奉衆來降, 賜第宅·田莊安之, 以其地爲郡.

7년236 봄 2월에 골벌국왕骨伐國王 아음부阿音夫가 휘하 무리를 거느리고 항복해 왔으므로, 그에게 집과 토지를 하사하여 안치하고, 골벌국 지역을 〔신라의〕 군郡으로 하였다.

출전: 국사편찬위원회 한국사데이터베이스 http://db.history.go.kr

2) 『삼국사기三國史記』 권 제4 「신라본기新羅本紀」편 지증 마립간智證 麻立干 조 김부식, 1145 : 역부를 징발하여 12성을 쌓다

秋九月, 徵役夫, 築波里·彌實·珍德·骨火等十二城.
5년504 가을 9월에 역부役夫를 징발하여 파리성波里城, 미실성彌實城, 진덕성珍德城, 골화성骨火城 등 12성을 쌓았다.

출전: 국사편찬위원회 한국사데이터베이스 http://db.history.go.kr

3) 『삼국사기三國史記』 권 제32 「잡지雜志」편 제사祭祀 조 김부식, 1145
 : 대·중·소사의 분류 기준

三山·五岳已下名山·大川, 分爲大·中·小祀.
3산·5악 이하의 명산과 대천을 나누어 대·중·소사로 삼았다.

출전: 국사편찬위원회 한국사데이터베이스 http://db.history.go.kr

4) 『삼국사기三國史記』 권 제32 「잡지雜志」편 제사祭祀 조 김부식, 1145
 : 대사로 지내는 지역

大祀. 三山, 一奈歷[習比部], 二骨火[切也火郡], 三穴禮[大城郡].
대사大祀. 3산三山은 첫째 나력奈歷[습비부習比部], 둘째 골화骨火[절야화군切也火郡], 셋째 혈례穴禮[대성군大城郡]이다.

출전: 국사편찬위원회 한국사데이터베이스 http://db.history.go.kr

## 5) 『삼국사기三國史記』 권 제32 「잡지雜志」편 제사祭祀 조 김부식, 1145
: 중사로 지내는 5악

中祀. 五岳, 東吐含山[大城郡], 南地理山[菁州], 西雞龍山[熊川州], 北太伯山[奈已郡], 中父岳[一云公山, 押督郡].

중사中祀. 5악은 동쪽의 토함산吐含山[대성군大城郡], 남쪽의 지리산地理山[청주菁州], 서쪽의 계룡산雞龍山[웅천주熊川州], 북쪽의 태백산太伯山[나이군奈已郡], 중앙의 부악父岳[공산公山이라고도 하는데, 압독군押督郡]이다.

출전: 국사편찬위원회 한국사데이터베이스 http://db.history.go.kr

## 6) 『삼국유사三國遺事』 권 제1 「기이紀異」편 김유신金庾信 조 일연, 1281
: 유신공이 백석의 꾐에 빠져 위기에 처하자 호국 삼신이 돕다

年至十八壬申修釖得術爲國仙. 時有白石者不知其所自來, 属於徒中有年. 郎以伐麗濟之事日夜深謀. 白石知其謀告於郎曰, "僕請與公密先探於彼然後圖之何如." 郎喜親率白石夜出行. 方憩於峴上有二女隨郎而行. 至骨火川留宿又有一女忽然而至. 公與三娘子喜話之時娘等以美菓饋之. 郎受而啖之心諾相許乃說其情. 娘等告云 "公之所言已聞命矣, 願公謝白石而共入林中更陳情實." 乃與俱入娘等便現神形曰, "我等奈林‧穴禮‧骨火等三所護國之神, 今敵國之人誘郎引之郎不知而進途, 我欲留郎而至此矣." 言訖而隱. 公聞之驚仆再拜而出. 宿於骨火舘謂白石曰, "今歸他國忘其要文. 請與爾還家取來." 遂與還至家拷縛白石而問其情. 曰 "我本高麗人,[古本云百濟誤矣. 楸南乃高麗之卜筮之士楸南也[古本作春南誤矣.]. 國界有逆流之水[或云雄雌尤反覆之事.] 使其卜之. 奏曰 '大王夫人逆行陰陽之道其瑞如此.' 大王驚怪而王妃大怒謂是妖狐之語, 告於王 '更以他事驗問之失言則加重刑.' 乃以一鼠藏於合中問 '是何物.' 其人奏曰 '是必鼠其命有八.' 乃以謂失言將加斬罪, 其人誓曰 '吾死之後願爲大將必滅高麗矣.' 卽斬之剖鼠腹視之其命有七, 於是知前言有中. 其日夜大王夢楸南入于新羅舒玄公夫人之懷, 以告於羣臣皆曰, '楸南誓心而死是其果然.' 故遣我至此謀之爾."
公乃刑白石, 備百味祀三神皆現身受奠.

나이가 18세가 되던 임신壬申년에 검술을 익혀 국선國仙이 되었다. 이때 백석白石이란 자가 있었는데 어느 곳으로부터 왔는지 알 수가 없었으나 낭도의 무리에 여러 해 동안 속해 있었다. [유신]랑은 고구려와 백제를 치려는 일로써 밤낮으로 깊이 모의하고 있었다. 백석이 그 모의를 알고 공에게 일러 말하기를, "제가 공과 함께 은밀히 저들의 나라에 들어가 먼저 정탐을 한 연후에 그 일을 도모함이 어떻겠습니까?" 하고 청하였다. [유신]랑이 기뻐하며 친히 백석을 데리고 밤에 길을 떠났다.

바야흐로 고개 위에서 쉬고 있는데 두 여자가 [유신]랑을 따라 왔다. 골화천骨火川에 이르러 유숙하는데 또 한 여자가 홀연히 나타나 이르렀다. [유신]랑이 세 여자와 즐겁게 이야기하고 있노라니 세 여자가 맛있는 과일을 낭에게 대접하였다. [유신]랑이 그것을 받아먹으면서 마음을 서로 허락하고 즐겁게 담소하며 자신의 상황을 이야기하였다. 여인들이 말하였다.

"공이 말씀하신 바는 이미 들어서 잘 알겠사오나, 원컨대 공이 백석을 떼어놓고 우리와 함께 수풀 속으로 들어가시면 그 때 사실을 다시 말하겠습니다."

이에 그들과 함께 들어가니 낭자들이 문득 신으로 변하여 말하였다.

"우리들은 나림奈林 · 혈례穴禮 · 골화骨火 등 세 곳의 호국신인데, 지금 적국의 사람이 [유신]랑을 유인하여 데리고 가는데도 공은 알지 못하고 따라가고 있으므로 우리는 그것을 말리려 이곳에 온 것입니다."

[신들은] 말을 마치고 나서 사라졌다. 공이 이 말을 듣고 놀라 엎어져 두 번

절하고 나왔다.

골화관骨火館에 숙박하였을 때 백석에게 말하였다.

"지금 다른 나라에 가면서 긴요한 문서를 잊고 왔다. 청컨대 자네와 함께 집으로 돌아가서 가지고 오자."

마침내 함께 돌아와 집에 이르자 백석을 붙잡아 결박하고 사실을 물었다. [백석이] 답하였다.

"저는 본시 고구려 사람으로[고본古本에는 백제라 하였으나 잘못이다. 추남은 바로 고구려 사람이다. 또한 음양을 거스르는 것도 역시 보장왕寶藏王의 일이다] 우리나라[고구려]의 여러 신하들이 '신라의 유신은 바로 우리나라의 점쟁이[卜筮之士] 추남楸南이다.'라고 말합니다[고본에 춘남春南이라 쓰기도 하나 잘못이다.] 나라의 경계에 거꾸로 흐르는 물이 있어서[혹은 숫컷과 암컷이 자주 바뀌는 일이라고도 한다] 왕이 그에게 이에 대한 점을 치게 하였습니다. [추남이] 말하기를, '대왕의 부인께서 음양의 도를 역행하였기 때문에 이러한 징조가 나타난 것입니다.' 하였습니다. 대왕이 놀라고 괴이하게 여겼으며 왕비도 몹시 노하여 이것은 필시 요사한 여우의 말이라고 하며 왕께 고하기를, '다른 일로써 그를 시험하여 말이 맞지 않으면 중형에 처하라.'고 하였습니다. 이에 쥐 한 마리를 함에 담아 두고, '이것이 무슨 물건이냐?'고 물었습니다. 추남이 나와 말하기를, '이것은 반드시 쥐인데 그 수가 여덟 마리입니다.'라고 말하였습니다. 이에 말이 틀린다 하여 죄를 씌워 죽이려 하니 추남이 맹세하여 말하기를, '내가 죽은 후 대장이 되어 반드시 고구려를 멸망시키리라.' 하였습니다. 추남의 목을 베고 쥐의 배를 갈라 그 안을 보니 [새끼] 일곱 마리가 있어 그제야 그의 말이 적중했음을 알았습니다. 그날 밤 대왕께서 추남이 신라 서현공舒玄公의 부인 품으로 들어가는 꿈을 꾸고, 여러 신하들에게 물어보니 모두 다 '추남이 맹세를 하고 죽더니 과연 그러합니다.'고 하였습니다. 그러므로 나를 보내어 여기에 와서 유신공을 도모케 하였을 뿐입니다." 하였다.

공이 곧 백석을 죽이고 온갖 음식을 갖추어 삼신에게 제사를 지내니 모두 다 몸을 나타내어 흠향하였다.

출전: 국사편찬위원회 한국사데이터베이스 http://db.history.go.kr


## 2. 뭇 삶을 지키려는 믿음으로 부처를 모시다

# 제1장 중악中岳 공산公山에 새긴
## 자비의 서원, 해안사海眼寺

## 1. 약사여래부처님을 끌어안은 중악中岳 공산公山

1) 『삼국사기三國史記』 권 제10 「신라본기新羅本紀」편 원성왕元聖王 조 김부식, 1145
: 원성왕이 즉위하다

元聖王立. 諱敬信, 奈勿王十二世孫. 母朴氏継烏夫人, 妃金氏神述角干之女. 初惠恭王末年, 叛臣跋扈, 宣德時為上大等, 首唱除君側之惡. 敬信預之, 平亂有功, 洎宣德卽位, 邦爲上大等. 及宣德薨, 無子, 群臣議後, 欲立王之族子周元. 周元宅於京北二十里, 會大雨, 閼川水漲, 周元不得渡. 或曰, "卽人君大位, 固非人謀. 今日暴雨, 天其或者不欲立周元乎. 今上大等敬信, 前王之弟, 德望素高, 有人君之體." 於是, 衆議翕然, 立之継位. 旣而雨止, 國人皆呼萬歲.

원성왕元聖王이 즉위하였다. 왕의 이름은 경신敬信으로 나물왕奈勿王의 12세손이다. 어머니는 박씨朴氏 계오부인継烏夫人이고 왕비는 김씨로 신술神述 각간角干의 딸이다. 일찍이 혜공왕惠恭王 말년에 반신叛臣이 발호跋扈하였는데, 선덕왕宣德王이 당시 상대등上大等이 되어 앞장서서 임금의 곁에 있는 나쁜 무리를 제거할 것을 주장하였다. 경신이 그에 동조하여 난을 평정하는데 공이 있었기에, 선덕왕이 왕위에 오르게 되자 상대등이 되었다. 선덕왕이 죽었는데 아들이 없자, 여러 신하들이 회의를 한 후에 왕의 집안 조카인 주원周元을 옹립하고자 하였다. 주원의 집은 서울에서 [왕궁으로부터] 북쪽으로 20리里 떨어진 곳에 위치하였는데, 마침 큰비가 와서 알천閼川의 물이 넘쳐 주원이 알천을 건너 왕궁으로 오지 못하였다. 어떤 사람이 말하기를, "왕[人君]은 큰 자리라 진실로 사람이 도모할 수 있는 것이 아니다. 오늘 갑자기 비가 쏟아진 것은 하늘이 혹시 주원을 왕으로 세우고 싶지 않았기 때문이 아닐까. 지금 상대등 경신은 전왕의 동생으로 평소 덕망이 높고 왕의 자질이 있다."라고 하였다. 이에 여러 사람들의 뜻이 드디어 경신이 왕위를 계승하도록 하였다. 얼마 지나지 않아 비가 그치니 나라 사람들이 모두 만세를 외쳤다.

출전: 국사편찬위원회 한국사데이터베이스 http://db.history.go.kr

### 2) 『삼국사기三國史記』 권 제10 「신라본기新羅本紀」편 애장왕 조 김부식, 1145
: 일어나야 할 일식이 나타나지 않다

夏五月壬戌朔, 日當食不食.

2년801 여름 5월 초하루 임술일壬戌日에 일식이 있었어야 하나 없었다.

출전: 국사편찬위원회 한국사데이터베이스 http://db.history.go.kr

### 3) 『삼국유사三國遺事』 권 제2 「기이紀異」편 원성대왕元聖大王 조 일연, 1281
: 각간 김경신이 꿈을 꾸고 아찬 여삼이 해몽하니 왕이 될 징조였다

伊飡金周元初爲上宰, 王爲角干居二宰, 夢脫幞頭著素笠, 把十二絃琴入於天官寺井中. 覺而使人占之, 曰"脫幞頭者失職之兆, 把琴者著枷之兆, 入井入獄之兆." 王聞之甚患杜門不出. 于時阿飡餘三, 或本餘山來通謁, 王辭以疾不出. 再通曰"願得一見." 王諾之. 阿飡曰"公所忌何事." 王具說占夢之由, 阿飡興拜曰, "此乃吉祥之夢. 公若登大位而不遺我則爲公解之." 王乃辟禁左右而請解之, 曰"脫幞頭者人無居上也, 著素笠者冕旒之兆也, 把十二絃琴者十二孫傳世之兆也, 入天官井入宮禁之瑞也." 王曰 "上有周元何居上位." 阿飡曰 "請密祀北川神可矣." 從之.

이찬 김주원伊飡 金周元은 처음 상재上宰가 되고 왕은 각간으로 두 번째 재상이 되었는데 꿈 중에 복두幞頭를 벗고 소립素笠을 쓰고 12현금絃琴을 들고 천관사天官寺 우물 속으로 들어갔다. 꿈에서 깨자 사람을 시켜 그것을 점치게 하니, 말하기를, "복두를 벗은 것은 관직을 잃을 징조요, 가야금을 든 것은 형틀을 쓰게 될 조짐이요, 우물 속으로 들어간 것은 옥에 갇힐 징조입니다."라고 했다. 왕은 이 말을 듣자 심히 근심스러워 두문불출하였다. 이때 아찬 여삼 혹은 다른 본에서 여산餘山이라고도 하는 사람이 와서 뵙기를 청했으나, 왕은 병을 핑계로 하여 사양하고 나오지 않았다. 재차 청하여 말하기를, "한번만 뵙기를 원합니다." 하므로 왕이 이를 허락하자, 아찬이 물었다. "공께서 근심하는 것은 어떤 일입니까?" 왕이 꿈을 점쳤던 연유를 자세히 설명하니 아찬은 일어나 절하며 말하기를, "그것은 좋은 꿈입니다. 공이 만약 대위大位에 올라서도 나를 버리지 않으신다면 공을 위해 꿈을 풀어 보겠습니다."라고 하였다. 이에 왕이 좌우를 물리치고 해몽하기를 청하자 아찬은 "복두를 벗은 것은 위에 거하는 다른 사람이 없다는 뜻이요, 소립을 쓴 것은 면류관冕旒冠을 쓸 징조이며, 12현금을 든 것은 12대손까지 왕위를 전한다는 조짐이며, 천관사 우물로 들어간 것은 궁궐로 들어갈 상서로운 조짐입니다."라고 하였다. "위에 주원이 있는데 어찌 왕위에 오를 수 있겠소?" 왕이 말하자 아찬이 대답하기를, "청컨대 은밀히 북천신北川神에게 제사지내면 될 것입니다." 하자 [왕은] 이에 따랐다.

출전: 국사편찬위원회 한국사데이터베이스 http://db.history.go.kr

## 2. '해안海眼'에 담은 서원

### 1) 『삼국사기三國史記』 권 제32 「잡지雜志」편 제사祭祀 조 김부식, 1145
: 중사로 지내는 5악

中祀 五岳 東吐含山大城郡 南地理山菁州 西雞龍山熊川州 北太伯山奈已郡 中父岳一云公山 押督郡

중사中祀 5악은 동쪽으로 토함산 대성군<sup>지금의 청도</sup>, 남쪽으로 지리산 청주<sup>지금의 진주</sup>, 서쪽으로 계룡산 웅천주<sup>지금의 공주</sup>, 북쪽으로 태백산 나사군<sup>지금의 영천</sup>, 가운데에는 부악, 공산이라 하고 압독군<sup>지금의 경산</sup>이다.

<sub>출전: 국사편찬위원회 한국사데이터베이스 http://db.history.go.kr</sub>

### 2) 『삼국유사三國遺事』 권 제5 「감통感通」편 선도성모수희불사仙桃聖母隨喜佛事 조 일연, 1281 : 선도산 신모가 황금을 보시하여 불사를 완성하다

真平王朝有比丘尼名智惠多賢行. 住安興寺擬新修佛殿而力未也. 夢一女仙風儀婥約珠翠飾鬟来慰曰. "我是仙桃山神母也. 喜汝欲修佛殿願施金十斤以助之. 宜取金於予座下糠黦主尊三像, 壁上繪五十三佛 六類聖衆及諸天神・五岳神君. 每春秋二季之十日叢會善男善女, 廣爲一切含靈設占察法會以爲恒規. 徒住神祠座下堀得黃金一百六十兩, 克就乃功, 皆依神母所諭. 其事唯存而法事廢矣

진평왕 대에 지혜智惠라는 비구니가 있었는데 어진 행실이 많았다. 안흥사安興寺에 살면서 새로 불전佛殿을 닦고자 하였으나 힘이 모자랐다. 꿈에 한 여선女仙이 외양이 아름답고 구슬로 쪽머리를 장식하였는데 와서 위로하여 말하였다. "나는 선도산仙桃山 신모神母이다. 네가 불전을 닦고자 하는 것이

가상하여 금 10근을 보시하여 돕고자 하니 마땅히 나의 자리 밑에서 금을 취하여 주존主尊과 삼상三像을 장식하고, 벽 위에 53부처와 육류성중六類聖衆 및 여러 천신天神, 오악신군五岳神君을 그리고 매해 봄과 가을 두 계절 10일 동안 선남선녀를 다 모아 널리 일체 중생을 위하여 점찰법회를 여는 것을 항규로 삼아라. 지혜가 곧 놀라 깨어 무리를 이끌고 신사神祠의 자리 밑에 가서 땅을 파서 황금 160량을 얻었고 잘 따라서 곧 완성하였으니 모두 신모가 이끈 대로 하였다. 그 사적은 오직 남아 있으나 불사는 폐지되었다.

출전: 국사편찬위원회 한국사데이터베이스 http://db.history.go.kr

### 3) 『삼국유사三國遺事』 권 제3 「흥법興法」편 원종흥법原宗興法 염촉멸신猒髑滅身 조
일연, 1281 : 법흥왕이 불도를 도울 사람을 구하자, 염촉이 내양하다

新羅本記, "法興大王即位十四年, 小臣異次頓爲法滅身." 即蕭梁普通八年丁未, 西竺達摩來金陵之歲也. 是年朗智法師亦始住靈鷲山開法, 則大敎興衰必遠近相感一時於此可信. 元和中南澗寺沙門一念撰髑香墳禮佛結社文, 載此事甚詳. 其略日. 昔在法興大王垂拱紫極之殿俯察扶桑之域以謂, "昔漢明感夢佛法東流. 寡人自登位願爲蒼生欲造修福滅罪之處." 於是朝臣, 未測深意, 唯遵理國之大義, 不從建寺之神略. 大王嘆日, "於戱, 寡人以不德丕承大業, 上虧陰陽之造化, 下無黎庶之歡, 萬機之暇留心釋風, 誰與爲伴." 粤有內養者姓朴, 字猒髑 其父未詳, 祖阿珎宗, 即習寶葛文王之子也

신라본기新羅本紀에 이르기를, "법흥대왕法興大王 즉위 14년에 소신小臣 이차돈異次頓이 불법을 위하여 제 몸을 없앴다."라고 하였으니, 바로 소량蕭梁 보통普通 8년 정미丁未 527년로 서천축西竺의 달마達摩가 금릉金陵에 왔던 해이다. 이 해에 낭지朗智법사가 역시 처음으로 영취산靈鷲山에서 불법을 열었으니, 대교大敎의 흥하고 쇠하는 것은 반드시 원근遠近이 동시에 서로 감응한다는 것을

여기서 믿을 수 있다.

원화元和 연간에 남간사南澗寺의 사문沙門 일념一念이 촉향분예불결사문髑香墳禮佛結社文을 지었는데, 이 사실을 매우 자세히 실었다. 그 대략은 다음과 같다.

옛날 법흥대왕이 자극전紫極殿에서 즉위하고 동방扶桑의 땅을 굽어 살펴보고 말씀하시기를, "옛적 한漢나라 명제明帝가 꿈에 감응 받아 불법이 동쪽으로 흘러왔다. 과인은 즉위하면서부터 창생蒼生을 위하여 복을 닦고 죄를 없앨 곳을 만들려고 염원 해왔다."라고 하였다. 이에 조신朝臣들은 깊은 뜻을 헤아리지 못하고 다만 나라를 다스리는 대의大義만을 준수했을 뿐 절을 세우겠다는 신성한 계획은 따르지 않았다.

대왕이 탄식하면서 말하기를, "아아, 과인은 덕이 없이 왕업을 계승하니, 위로는 음양의 조화를 훼손하고, 아래로는 백성들의 즐거움이 없으므로 정무의 여가에 마음을 불도釋風에 두고자 하지만, 누구와 함께 동반할 것인가?"라고 하였다.

이에 내양한 자內養者가 있어 성은 박朴, 자는 염촉厭髑이었다. 그의 아버지는 자세하지 않으나, 할아버지는 아진阿珍 종宗으로, 곧 습보갈문왕習寶葛文王의 아들이다.

출전: 국사편찬위원회 한국사데이터베이스http://db.history.go.kr

## 4) 『삼국유사三國遺事』 권 제5 「신주神呪」편 밀본최사密本摧邪 조 일연, 1281
: 밀본이 선덕왕의 병을 고치다

善德王德曼邁疾弥留, 有興輪寺僧法惕應詔侍疾 久而無効. 時有密本法師以德行聞於國左右請代之, 王詔迎入内. 本在宸仗外讀藥師経. 卷軸纔周, 所持六環飛入寢内, 刺一老狐與法惕倒擲庭下. 王疾乃瘳, 時本頂上發五色神光觀者皆驚.

선덕왕善德王 덕만德曼이 병에 걸린 지 오래되었는데, 흥륜사興輪寺의 중 법척法惕이 조칙에 응하여 병시중을 들어 오래 되었으나 효험이 없었다. 이때에 밀본법사密本法師가 덕행德行으로써 나라에 명성이 높아서 좌우에서 그를 대신할 것을 청하니 왕이 조서를 내려 궁궐 안으로 맞아 들였다. 밀본은 신장宸仗 밖에서 『약사경藥師經』을 읽었다. 권축卷軸이 한번 돌자, 가지고 있던 육환장六環杖이 침전 안으로 날아 들어가서 한 마리 늙은 여우와 법척을 찔러 뜰 아래로 거꾸로 내던졌다. 왕의 병이 이에 나았는데, 이때 밀본의 정수리 위에 오색의 신광神光이 발하니 보는 사람이 다 놀랐다.

출전: 국사편찬위원회 한국사데이터베이스 http://db.history.go.kr

### 5) 「팔공산은해사사적비八公山銀海寺事蹟碑」

朝鮮佛敎曹溪宗慶尙北道永川郡大本山銀海寺事蹟碑銘並書
藕堂居士 金鼎來 謹撰
朝鮮總督府中樞院參議 崔潤 謹書
葦滄居士 吳世昌 謹篆


盖聞 佛法自印度入支那 復東漸于朝鮮 權輿於麗濟羅中葉 而自王公至士庶 莫不崇信. 肆國都鄕曲 及名山勝地 塔寺星羅 而鍾磬相聞, 禪誦相傳 高僧碩德輩出王化 而各著於東史者多. 道之興隆可想也. 直永陽西一由旬許 八公山東麓 棟宇崢嶸者 卽銀海寺 而儘國之名刹也. 按寺之故 新羅憲德王己丑 惠哲國師開山 而額以海眼寺 憲德王以爲祝釐所, 而師諱惠哲 字體空 姓朴氏 京師人也. 高麗元宗甲子 元昊祖師 自居祖庵來 高揭法幢 廣濟羣迷, 忠烈王己丑 弘眞國師 廣募檀緣 擴張伽藍. 然於中不無疑焉. 自新羅憲德王己丑 至高麗元宗甲子 約四百六十餘年爾來 宇豈無修繕 人豈無拔萃. 應有可考的偉蹟 乃一片

木刻 不能飛出於後來灾火之中歟 可歎也. 朝鮮仁宗乙巳 當鬱攸之災 寺誌寶物 入於灰燼. 明宗丙午 天敎和尙 蒙內帑之賜 移建于此 改額以銀海寺 盖取諸眼爲銀海之義 舊址 則雲浮庵下海眼坪云者 是也. 昔弘眞國師 卓錫于上聳庵 而頻瞰下界 謂松栢蒼鬱之間 將開大伽藍寶局 倘豫指玆基歟. 明宗癸亥失火 翌年甲子 妙眞大士鳩財 佛殿僧寮 煥然一新. 宣祖己丑 法英大士 與義演廣心兩德 分募施緣 法宇衆寮更新. 英宗戊辰 牧庵禪師 吾道濟世 有國一都大禪師之號. 憲宗丁未失火 而八峯海月兩和尙 得本倅金公箕哲義捐三百緡錢, 感激而重建. 大正己未 住持㳄石潭上人 法宇樓閣諸寮 重修增制 比前益壯麗. 寺階級 則自寺刹令施行後 爲大本山, 而有末寺 在永川·軍威·慶州·盈德·靑松郡等, 有布敎所設於永川·慶山·大邱·迎日·盈德·慶州等地. 此實寺之沿革 而自刱始迄今 爲一千一百三十五年, 而爲海眼 七百三十六年 爲銀海 三百九十九年也. 屬庵則曰白蓮 曰瑞雲 天敎和尙 與寺同時創建. 曰百興 新羅景文王己丑 國師惠哲創建 而額以栢旨寺, 盖取諸趙州云庭前栢樹子義, 而至革爲庵時 改以今名. 曰雲浮 新羅聖德王辛亥 義湘祖師創建, 而時有祥雲 名雲浮, 曰中巖 曰妙峯 新羅興德王甲寅 心地三師創建. 曰居祖 新羅景德王 命有司創建, 而有五百十六羅漢像奉安, 而靈山殿 今爲總督府朝鮮寶物古蹟紀念之所. 曰寄寄 新羅憲德王丙申 正秀大士創建 而額以安興寺, 明宗丙午 革爲庵 改以今名, 箕城大士 發淨二願 以身寄娑婆 心寄極樂秋也. 上聳·上下東林·上白蓮·彌陀·佛堂·養疘·圓通·獅子·圓明·上下忠孝·安養 凡十三庵遺墟 後人空點指於鳥聲雲影之中而已. 住持李友石寶 欲爲文 刻之石 以甲稧金二千圓 爲材工費資求余銘甚勤. 余雖無文 感觀其未曾有之能事 畧叙如右, 而實有愧於具眼者云. 系之以銘曰

地距天竺 有西有東 迦文聖道 源流漸通

歷麗濟羅 王民信崇 靑陸全球 在在琳宮

惠哲法眼 胥宇八公 嶽秀泉甘 雲瑞林穹

千百法侶 禪敎專工 覺以度生 動四玄風

爲國祝福 誠意無窮 次第高德 光大前功

續舊維新 在來哲躬 我作斯銘 敢告以忠


碑陰

大本山銀海寺宗務所

住持 李石寶  監務 全潤齊  監事 崔錫鳳

法務 李敬明  書記 李法雲  書記 河應龍


本末寺宗會員

池石潭 李鏡性 楊渾虛 金天祐 朴亘千 朴度洙 金明悟

車應俊 朴萬秀 金海潤 李大印 李鶴山 金萬守 朴点甲


大衆秩

朴晚琪 朴鶴龍 崔一虛 朴大崙 金典悟 權逢春 朴環月

徐相祚 金震宇 黃在寬 金明鎭 李權祚 沈尙信 張正仁

朴斗明 金海秀 姜典一 崔鍾奎 金性昊 金元甲 張伯鉉

河本竈 金應珍 河福祚 金龍韓 文德熙 李萬根 張奇翔

河允實 林石岩 申一龍 金福得 河萬石 具鳳祚 孫性五

崔士汶 盧又七 羅七岩 宋東一 鄭元述 李相日 李仁祚

金寶聲 禹質凡 金一鳳 金致玉 金末天 李在院 李鳳華

郭且俊 金龍伊 金達生 李二得 裵鳳守 咸炳華 公萬壽

宋永敏 許命岩 金貞秀 具會景 許壽岩 曹載明 朴來文

李濟仲 金石福 張志鉉 張泰岩 張正萬 朴元求 河水命

河有福 李相吉 尹台祚 金大圭 韓昌煥 姜石嵐 金石蓮

金仁祚 金泳祚 俞德權 鄭在錫 金孝俊 朴文守 河福千
金石用 金台坤 金基容 朴鍾弼 石任述 朴舜泰 朴再甲
朴性周 趙斗顯 禹汝霖 池松茂 李達潤 宋永吉 李昌圭
李泰榮 黃圭燮

附屬員

山監 金德祚 農監 李永韶 院主 金英葉 上持殿 金昌學
下持殿 趙東祚 扶尊 李丁述 茶供 金辰白 供司 韓完杓
給仕 崔三岩 小使 金雲玉 負木 池二岩

各庵秩

居祖 金伕欣 百興 金泰應 雲浮 李萬午 中岩 金衛圭
妙峯 崔錦山 寄寄 河英萬 白雲 朴弘善 瑞雲 金在訓
白蓮·五山學校 郭明贊 朴有山 朴彩院

本寺建物及土地面積

建物 三五棟二四五間

田 二八九三七坪

畓 四六四三〇九平

社寺地 九六一七坪

垈地 二四八四坪

林野 九二〇町六一三畝

所管末寺 五郡十八末寺

所屬布教所 六郡十二布教所

本末寺土地總面積 七一三三〇七坪

本末寺林野總面積 一一二八町五七三步

銀海寺信徒 三四二人

本末寺及各布敎所信徒數 一六七六二人

總工費四千圓也

請負 金鍾和　工作 林渭洪　石工 金泰伯　刻工 金鍾燮

昭和十八年癸未六月 日

左面

佛紀二千九白七十年癸未六月 日立

조선불교朝鮮佛敎 조계종曹溪宗 경상북도慶尙北道 영천군永川郡 대본산大本山 은해사의 사적비명事蹟碑銘과 그 서문

우당거사藕堂居士 김정래金鼎來 삼가 짓고 조선총독부朝鮮總督府 중추원참의中樞院參議 최윤崔潤 삼가 쓰고 위창거사葦滄居士 오세창吳世昌 삼가 전액篆額을 쓰다.

들건대, 불법佛法은 인도에서 중국으로 들어온 뒤 다시 동쪽 우리나라로 흘러들어 고구려·백제·신라의 중엽中葉을 시작으로 위로는 왕공王公으로부터 아래로는 일반 백성들에 이르기까지 숭신崇信하지 않는 사람이 없었다고 한다. 그리하여 한 나라의 도읍이나 시골 마을, 명산名山의 빼어난 곳마다 절과 탑이 별처럼 늘어서서 종소리 풍경 소리를 서로 들을 수 있었으며, 참선하고 송경誦經하는 수행이 이어지면서 덕 높은 고승高僧과 석덕碩德들이 배출되어 우리 역사에 이름을 빛낸 분들이 많았다고 하니, 불교[道]가 융성했음을 가히 상상할 수 있겠다. 영양永陽영천의 옛 이름에서 곧바로 서쪽으로 1유순由旬쯤 되는 팔

공산八公山 동쪽 산자락에 건물들이 우줄우줄 솟은 곳이 바로 은해사이니, 참으로 한 나라의 명찰名刹이다. 절의 옛 자취를 살펴보니, 신라의 헌덕왕憲德王 기축년己丑年809에 혜철국사惠哲國師가 개산開山하여 해안사海眼寺라고 이름을 내걸자 헌덕왕이 이곳을 복을 비는 곳으로 삼았다. 스님은 휘諱가 혜철惠哲, 자字는 체공體空, 성姓은 박씨朴氏로 서울[京師: 서라벌]사람이었다. 고려 원종元宗 갑자년甲子年1264에 원참조사元旵祖師가 거조암居祖庵에서 이곳으로 옮겨와 법당法幢을 높이 걸고 널리 어리석은 무리[羣迷: 중생]를 구제하였다. 충렬왕忠烈王 기축년己丑年1289에는 홍진국사弘眞國師가 두루 신도들의 인연을 모아 가람伽藍을 확장하였다.

그런데 여기에는 의심스러운 바가 없지 않다. 신라 헌덕왕 기축년으로부터 고려 원종 갑자년까지의 약 460여 년 동안 집은 어찌 수리하지 않았을 것이며, 사람은 어찌 뛰어난 이가 없었겠는가? 마땅히 고증할 만한 뚜렷한 자취가 있어야 하건만, 뒷날의 화재火 속에서도 새김질한 나뭇조각 하나 나오지 않았단 말인가. 가히 안타까울 따름이다.

조선 인종仁宗 을사년乙巳年1545에 화재를 당해 사지寺誌와 보물들이 모두 잿더미가 되었다. 명종明宗 병오년丙午年1546에 천교화상天敎和尙이 내탕금內帑金을 하사 받는 은혜를 입어 지금의 자리로 절을 옮겨 세우고 은해사銀海寺로 이름을 바꾸었으니, 눈[諸眼]을 달리 '은해銀海'라고도 이르는 뜻을 취한 것이었다. 옛터는 운부암雲浮庵 아래쪽 해안평海眼坪이라고 부르는 자리가 바로 그곳이다. 옛날 홍진국사가 상용암上舂庵에 주석駐錫하면서 저 아래 낮은 곳을 굽어보며 소나무 잣나무 울창한 즈음이 장차 대가람大伽藍이 열릴 보배로운 터전[寶展]이라 했다 하니, 혹시 지금의 이곳을 미리 가리킨 것이었던가.

명종明宗 계해년癸亥年1563 실화失火로 절이 불에 타 이듬해인 갑자년甲子年1564 묘진대사妙眞大師가 재물을 모아 불전佛殿과 승료僧寮들을 찬란하게 일신하였다. 선조宣祖 기축년己丑年1589에는 법영대사法英大師와 의연義演·광심廣心 두 분의 대덕大德이 서로 분담하여 시주施主들의 인연을 모아 법우法宇와 여러 요사寮舍들을 다시 새롭게 고쳤다. 영종英宗영조英祖 무진년戊辰年1748에는 목암선사牧庵禪師가 도道를 깨닫고 세상을 구제하여 '국일도대선사國一都大禪師'라는 존호尊號를 얻었다. 헌종憲宗 정미년丁未年1847에 절이 불타자 팔봉八峯과 해월海月 두 스님이 이 고을 수령守令이던 김기철金箕哲 공이 희사한 의연금義捐金 300민緡으로 고마운 마음을 담아 중건重建하였다.

대정大正 기미년己未年1919 주지住持 지석담池石潭스님이 법우와 누각樓閣과 여러 요사의 규모를 늘려 중수重修하니, 종전에 비해 더욱 장려해졌다. 절의 위계位階는 사찰령寺刹令 시행 이후부터 대본산大本山이 되어 영천永川·군위軍威·경주慶州·영덕盈德·청송靑松 등의 여러 군郡에 말사末寺가 있게 되었으며, 영천·경산慶山·대구大邱·영일迎日·영덕·경주 등지에 세운 포교소布敎所를 거느리게 되었다. 이것이 실로 이 절의 연혁沿革인데, 처음 창건한 때로부터 지금까지 1135년이 되었으며, 해안사로 보낸 햇수가 736년에 은해사로 지내온 햇수가 399년이다.

소속 암자로는 백련암白蓮庵이 있고, 서운암瑞雲庵은 천교화상이 큰절과 동시에 창건한 곳이다. 백흥암百興庵은 신라 경문왕景文王 기축년己丑年869에 혜철국사가 창건하여 '백지사柏旨寺'라고 명명하였으니, 대개 이것은 조주趙州스님이 말한 '뜰 앞의 잣나무[庭前栢樹子]'라는 화두話頭의 의미를 취한 것이었는데, 암자로 바뀔 때 지금의 이름으로 고쳤다. 운부암은 신라 성덕왕聖德王 신해년辛亥年711에 의상조사義湘祖師가 창건하였으며, 그때 상서로운 구름祥雲이 나타났으므로 '운부雲浮'라고 이름지었다. 또한 중암암中巖庵과 묘봉암妙峯庵이 있으니, 후자는 신라 흥덕왕興德王 갑인년甲寅年834에 심지왕사心地王師가 창건하였다. 거조암은 신라 경덕왕景德王이 유사有司관계당국, 해당 관청에 명하여 창건하였으며, 516구軀의 나한상羅漢像을 봉안하고 있는 영산전靈山殿은 현재 총독부總督府의 조선보물고적기념지소朝鮮寶物古蹟紀念之所로 지정되어 있다. 기기암寄寄庵은 신라 헌덕왕 병신년丙申年816에 정수대사正秀大士가 창건하여 '안흥사安興寺'로 부르다가, 명종 병오년1546 은자로 바뀔 때 지금의 이름으로 고쳤으니, 기성대사箕城大士가 정토발원淨土發願지극한 마음으로 염불과 명상을 통해 극락정토에 태어나기를 발원하는 수행을 하면서 몸은 사바세계에 깃들되 마음은 극락정토에 깃든다[心寄極樂]고 했던 뜻을 담아 그렇게 일컬은 것이다. 상용암·상동림암上東林庵·하동림암下東林庵·상백련암上白蓮庵·미타암彌陀庵·불당암佛堂庵·양성암養成庵·원통암圓通庵·사자암獅子庵·원명암圓明庵·상충효암上忠孝庵·하충효암下忠孝庵·안양암安養庵 등 13곳 암자는 빈터로 남아 뒷사람들이 부질없이 새소리 들리는 구름 그림자만을 가리킬 따름이다.

　주지住持이신 벗 이석두李石竇스님이 글을 엮어 그것을 돌에 새기려고 갑계甲稧의 기금 2,000원圓을 공사비로 마련하고 나에게 매우 조심스럽게 비명碑銘을 청하였다. 내 비록 글재주가 없지만 미증유의 훌륭한 일을 보고 느낀바 있어 위와 같이 간략히 서술하였으나, 실로 안목을 갖춘 분들에게 부끄러울 따름이다. 이어서 명銘[비문]을 지어 이르노니,

　　이 땅은 천축과 멀리 떨어져
　　하나는 서쪽에 하나는 동쪽에 있네
　　석가모니의 성스러운 가르침
　　그 물줄기 이 땅에도 점차 통하게 되었네
　　고구려 백제 신라를 거치면서
　　국왕과 백성들이 믿으며 받들어서
　　동방 이 땅 온누리에
　　곳곳마다 절들이 들어섰네
　　혜철스님 법안으로
　　팔공산에 절터를 마련하니

산은 빼어나고 샘물은 달며

구름은 상서롭고 숲은 깊네

수천 수백 수행하는 벗들이

참선과 교학을 깊이 공부하여

깨달음 이루어 중생을 제도하니

사방 온누리에 현묘한 가르침 진동했네

나라 위해 복을 비는

정성스런 뜻 다함이 없고

차례로 덕 높은 분들이 나와

종전의 공을 더욱 크게 빛내었네

옛것을 이어받고 다시 새롭게 하여

이제까지처럼 자신을 밝혀야 하리

내 이제 이 비명을 지어

감히 충심으로 고하는 바이네

소화昭和 18년 계미년癸未年1943 6월 □일

출처 : 은해사 성보박물관

## 6) 『대방광불화엄경大方廣佛華嚴經』 「이세간품離世間品」

佛子! 菩薩摩訶薩以十種觀衆生而起大悲. 何等爲十? 所謂 觀察衆生無依無怙而起大悲 觀察衆生性不調順而起大悲 觀察衆生貧無善根而起大悲 觀察衆生長夜睡眠而起大悲 觀察衆生行不善法而起大悲 觀察衆生欲縛所縛而起大悲 觀察衆生沒生死海而起大悲 觀察衆生長嬰疾苦而起大悲 觀察衆生無善法欲而起大悲 觀察衆生失諸佛法而起大悲. 是爲十. 菩薩恒以此心觀察衆生.

불자여! 보살마하살은 열 가지로 중생을 관찰하고 큰 자비를 일으키나니, 무엇이 열인가? 이른바 중생이 의지할 데 없고 믿을 데 없음을 관찰하고 큰 자비를 일으키며, 중생의 성품이 고르지 못함을 관찰하고 큰 자비를 일으키며, 중생이 가난하여 선근이 없음을 관찰하고 큰 자비를 일으키며, 중생이 긴긴 밤에 잠들어 있는 것을 관찰하고 큰 자비를 일으키며, 중생이 착하지 못한 법을 행함을 관찰하고 큰 자비를 일으키며, 중생이 욕심에 얽매임을 관찰하고 큰 자비를 일으키며, 중생이 생사 바다에 빠짐을 관찰하고 큰 자비를 일으키며, 중생이 병고에 길이 얽혔음을 관찰하고 큰 자비를 일으키며, 중생이 착한 법에 욕망이 없음을 관찰하고 큰 자비를 일으키며, 중생이 부처의 법을 잃음을 관찰하고 큰 자비를 일으키나니, 이것이 열입니다. 보살은 항상 이 마음으로 중생을 관찰합니다.

출전: 불교기록문화유산아카이브 https://kabc.dongguk.edu

## 7) 「곡성 대안사 적인선사탑비谷城大安寺寂忍禪師塔碑」

**武州桐裏山大安寺寂忍禪師碑頌并序**

入唐謝恩兼宿衛判官翰林郎臣崔賀奉敎撰

夫鍾也者叩之聲之聞之可能定慮鏡也者磨之光之照之足以辨形以物之無情猶妙用若此矧伊 禀植間氣亼蘊靈願心非妄心行是眞行空中說有色際知空方淨六塵自超十地所體大於虛空之 大所量深於瀚海之深神通也不可以識識智慧也不可以知知者乎卽禪師其人也禪師諱慧徹字 體空俗姓朴氏京師人也其先少耽洙泗之迹長習老莊之言得喪不關於心名利全忘於世或憑高 眺遠或染翰吟懷而已祖高尚其事不歷公門於朔州善谷縣閑居則太白山南烟嵐相接左松右石 一琴一樽與身相親之人也娠禪師之初母氏得夢有一胡僧儀形肅雅衣法服執香爐徐徐行來坐 寢榻母氏訝而復異因玆而覺曰必得持法之子當爲國師矣禪師自襁褓已

來凡有擧措異於常流 至如喧戱之中不喧安靜之處自靜觸羶腥則嘔血見屠殺則傷情遇坐結跏禮人合掌尋寺繞佛唱 梵學僧冥符宿業斷可知之矣年當志學出家止于浮石山聽華嚴有五行之聰罔有半字三餘之學 何究本經以爲鉤深索隱豈吾所能墻仞所窺不可不說於是編文織意積成卷軸決曩代之膏肓祛 群學之蒙昧同輩謂日昨爲切磋之友今作誘進之師眞釋門之顔子也洎二十二受大戒也一日前夢見五色珠令人可重忽在懷袖之中占日我己得戒珠矣受戒初飄風亙天扶搖不散下壇了恬然 而靜十師謂日此沙彌感應奇之又奇也旣統具戒修心潔行念重浮囊持律獲生身輕繫草不以諸 緣損法不以外境亂眞旣律且禪緇流之龜鏡也竊念佛本無佛强以立名我本無我未甞有物見性 之了是了喻法之空非空默默之心是心寂寂之慧是慧筌蹄之外理則必然頃得司南是也仍嘆日 本師遺敎海隔桑田諸祖微言地無郢匠乃以元和九載秋八月駕言西邁也時也天不違乎至誠人 莫奪其壯志千尋水上秦橋迢遞而變換炎凉萬仞山邊禹足胼胝而犯冒霜雪步無他往詣 龔公山 地藏大師卽第六祖付法於懷讓傳道一一傳大師也大師開如來藏得菩薩心久坐西堂多方誨爾 來我者略以萬計莫非知十之學禪師日某生緣外國問路天地不遠中華故來請益儻他日無說之 說無法之法流於海表幸斯足也大師知志旣堅稟性最悟一識如舊密傳心印於是禪師已得赤水 所遺靈臺豁爾如大虛之寥廓也夫夷夏語乖機要理隱非伐柯執斧孰能與於此乎未幾西堂終 乃 虛舟莫留孤雲獨逝天南地北形影相隨所歷名山靈境略而不載也到西州浮沙寺披尋大藏經日夕專精晷刻無廢不枕不席至于三年文無奧而未窮理無隱而不達或默思章句歷歷在心焉以違 親歲積宣法心深遂言歸君子之鄕直截乾城之浪開成四祀春二月方到國也是日群臣同喜里閈 相賀日當時璧去山谷無人今日珠還川原得寶能仁妙旨達摩圓宗盡在此矣譬諸夫子自衛反魯 也遂於武州管內雙峰蘭若結夏時遭陽亢山枯川渴不獨不雨亦無片雲州司懇求於禪師師入靜 室蓺名香上感下祈小間甘澤微微而下當州內原濕滂沱旣而大有又屈理嶽默契谷忽有野火四 合欲燒庵舍非人力之所救亦無路以可逃師端坐默念之中白雨暴下撲滅盡之渾山燎而

一室獨 存嘗住天台山國淸寺預知有禍拂衣而去人莫知其由不久擧寺染疾死者
十數入唐初與罪徒同 舡到取城郡郡監知之枷禁推得欵禪師不言黑白亦同下獄
監具申奏准敎斬三十餘人訖次當禪 師師顏容怡悅不似罪人自就刑所監不忍便
殺尋有後命而于釋放唯禪師獨如此寂用不可思 不可得也其囬天駐日縮地移山
禪師亦不病諸盖以和光同塵不欲有聲矣谷城郡東南有山曰此 桐裏中有舍名曰
大安其寺也千峯掩映一水澄流路迥絶而塵侶到稀境㘴邃而僧徒住靜龍神呈 之
瑞異蟲蛇遁其毒形松暗雲深夏涼冬燠斯三韓勝地也禪師擁錫來遊乃有縣車之
意爰開敎化 之場用納資稟之客漸頓雲集於四禪之室賢愚景附於八定之門縱有
波旬之儻梵志之徒安得不 歸於正見悟吠堯之非斯乃復羅浮之古作曹溪之今也
哉 文聖大王聞之謂現多身於象末頻賜 書慰問兼所住寺四外許立禁殺之幢仍
遣使問理國之要禪師上封事若干條皆時政之急務王甚 嘉焉其神益朝延王侯致
禮亦不可勝言也時春秋七十有七咸通二年春二月六日無疾坐化支體 不散神色
如常卽以八日安厝於寺松峰起石浮屠之也嗚戲色相本空去來常寂不視生滅濟
度凡 迷前諸未度忽失前緣已得後度須達理者以爲報盡形謝而痛惜哉於焉輟斤
絶絃也終前三往所 屈山二七而令伐杉樹大可四圍曰有人死則將此作子葬之歸於
寺壁上敎畫子圖因告生徒曰 萬物春生秋謝我則反之已後不得與汝輩說禪眛道
矣屬纊之初野獸悲號山谷盡動鴉集雀聚盡 有哀聲近浮圖有一株松靑葱蔚茂山
內絶倫從開隧後夏白秋冬黃永有吊傷之色也上聞禪師 始末之事慮年代久而
其跡塵昧以登極八年夏六月日降綸旨碑斯文以鏡將來仍賜諡曰寂忍名 塔曰照
輪淸淨則聖朝之忍遇足矣禪師之景行備矣其詞曰


唯我大覺兮現多身　性本空寂兮用日新　旣律且禪兮無我人　高山仰止兮莫
與隣　寶月常 圓兮照圓津　福河澄流兮蕩六塵　漸頓如雲兮未爲賓　語默隨
根兮永珠眞　雨撲山火兮救 昆珍　時患魃旱兮感龍神　非罪臨刑兮後命臻
預述禍殃兮及無因　遷化忽諸兮天大椿　門徒百其兮血染巾　賜諡寂忍兮塔照

輪　斯恩永世兮何萬春

中舍人臣　克一奉　教書

咸通十三年歲次壬辰八月十四日立　沙門幸宗


碑　末　福田數　法席　時在福田四十　常行神衆

法　席　本定別法席無

本　傳　食二千九百三十九石四斗二升五合

例　食　布施燈油無

田畓柴　田畓幷四百九十四結三十九負　坐地三結　下院代四結七十二負

柴一百四十三結

荳原地　鹽盆四十三結

奴　婢　奴十名　婢十三口

출처 : 김영태_국립문화재연구원

### 무주 동리산 대안사 적인선사 비송碑頌과 서序

입당사은 겸 숙위 판관 한림랑 신 최하崔賀 왕명을 받들어 찬함.

　무릇 종이라는 것은 그것을 치고 소리나게 하고 [그 소리를] 들어서 정려精慮[선정]에 들게 하며, 거울은 그것을 갈고 빛을 내고 비추어서 모양을 변별하게 하니, 무정의 물건으로도 묘용이 이와 같다. 하물며 여러 겁 사이에 기氣가 생하여 신령한 원력을 낳고 쌓으니 마음은 망녕된 마음이 아니요 행은 참된 행동이며, 공 가운데 유를 설하고 색의 끝에서 공을 알아 바야흐로 육진을 정화하며 스스로 십지를 뛰어넘으니, 체득한 바가 허공이 큰 것보다 크고 헤아리는 바는 바다의 깊이보다 깊어, 신통함은 식識으로써 알 수 없으며 지혜는 지知로는 알 수 없음에 있어서이랴! 바로 선사禪師가 그러한 사람이다.

　선사의 이름은 혜철慧徹, 자는 체공體空, 속성은 박씨朴氏이고 서울경주 사람이다. 그 선조는 젊어서는 공자孔子의 발자취를 찾았고 장년에는 노장老莊의 말을 익혔으며, 얻고 잃음을 마음에 두지 않았고 명리를 세상에서 떨쳐버려, 어떤 때는 높은데 올라 멀리 바라보고 어떤 때는 붓으로 회포를 읊을 따름이었다. 그 할아버지도 그 일을 고상히 여겨 관직을 거치지 아니하였고 삭주朔州 선곡현善谷縣에 한가로이 거처하면서 곧 태백산 남쪽 연기와 남기가 서로 어우러지고 좌우에 소나무와 바위가 있는 곳에서 가야금과 술잔 하나로 스스로를 벗하는 사람이었다.

선사를 임신하였을 무렵에 그 어머니가 꿈을 꾸었는데, 한 서역 승려가 있어 모습과 태도가 엄숙하고 단정하며 승복을 입고 향로를 가지고 서서히 와서 침상에 앉았다. 어머니가 의아하고 이상하게 여겨 그 때문에 깨어 말하기, "반드시 법을 지니는 아들을 얻으리니 마땅히 국사가 될 것이다." 하였다. 선사는 강보에 쌓여 있던 시절부터 행동거지가 보통 사람과 다름이 있어서, 떠들고 노는 가운데 가도 떠들지 아니하고 고요한 곳에 이르면 스스로 정숙하였으며, 누린내 비린내를 맡으면 피를 토하고 도살하는 것을 보면 마음을 상하였다. 앉을 때는 결가부좌를 하고 남에게 예를 표할 때는 합장하고 절에 가서 불상을 돌면서 범패를 불러 스님을 본받으니 전생의 업에 그윽하게 부합함을 단연코 알 수 있었다.

학문에 뜻을 둔다고 하는 지학志學의 나이 15세가 되자 출가하여 부석산에 머물러 화엄을 배웠는데 다섯 줄을 함께 읽어내리는 총명함이 있었다. 삼승의 경전 공부가 없으면 어찌 본경[화엄경]을 연구하겠으며, 깊이 천착하여 숨은 이치를 밝혀내고 어찌 내가 한 길 되는 담장으로 기웃거려 엿본 것이라도 설명하지 않을 수 있으랴 생각하였다. 이에 문장을 엮고 뜻을 짜맞추어 모아서 권축을 이루어 예토부터 고치기 어려운 잘못을 판결하고 배우는 이들의 몽매를 떨쳐버리니, 동학들이 일러 말하기를, "어제는 학문을 닦는 벗이었는데 오늘은 가르치고 이끌어 주는 스승이 되었으니 참으로 불문佛門의 안회顔回이다."라고 하였다.

22세에 이르러 대계를 받다. 그 전날 꿈에 오색 구슬이 보였는데 사람들이 소중히 여기는 것이 홀연히 옷소매 속에 있는 것을 보고 점쳐 말하기를, "나는 이미 계주를 얻었노라." 하였다. 계를 받던 시초에 회오리바람이 일어 하늘까지 뻗쳐 폭풍이 되어 흩어지지 아니하였는데, 계단戒壇에 내려오자 염연하고 고요해져, 10사師가 일러 말하기를, "이 사미의 감응이 기이하고도 기이하다." 하였다. 구족계를 받고 나서 마음을 닦고 행동을 정결히 하며 마음으로 계율을 중히 여기어 율을 지키기를 생명을 얻듯이 하였고 몸은 풀에 묶여 있는 듯 가벼이하고 여러 조건 때문에 법을 해치지 않으며 바깥 대상 때문에 진실을 어지럽히지 않아서 이미 율律과 선禪은 스님네의 귀감이었다.

가만히 생각건대 '부처는 본래 부처가 없는데 억지로 이름을 세운 것이요, 나는 본래 내가 없는 것이니 일찍이 한 물건도 있지 아니하다. 견성見性의 깨달음은 바로 이 깨달음이니 비유하면 법法은 공空하되 공空이 아니며, 묵묵한 마음이 바로 이 마음이고 적적한 지혜가 바로 이 지혜이니 문자 바깥의 이치는 반드시 곧바로 지남을 얻는 것이다.' 하였다. 이에 탄식하여 말하기를, "본사 석가모니께서 남긴 가르침도 오랜 세월이 지났고 여러 조사의 은밀한 말씀도 이 땅에 그것을 전하는 학원學員이 없구나." 하였다.

이리하여 원화元和 9년814 가을 8월에 서쪽으로 갔다. 이때는 하늘도 지성이면 어그러지지 아니하고 사람도 그 장한 뜻을 빼앗지 아니하였다. 천 길 물을 찾아 건너니 진교秦橋중국는 아득히 멀어서 철이 바뀌었고 만 길 산 끝에서 헤매어 우禹의 발이 갈라진 것처럼 되었으나, 서리와 눈을 무릅쓰고 걸어 다름아닌 공공산龔公山 지장대사智藏大師를 찾아가 뵈었다. 곧 육조는 회양懷襄에게 법을 부촉하고 회양은 도일道一에게 전하였으며 도일은 대사에게 전한 것이다.

지장대사는 여래장을 열어 보살심을 얻고 오랫동안 서당西堂에 머물며 여러가지로 오는 자를 가르치니 대략 만 명을 헤아렸는데 하나를 배워 열을 알지 아니함이 없었다. 선사가 말하기를, "소생은 외국에서 태어나 천지 간에 길을 물어 중국을 멀다 아니하고 찾아와서 배우기를 청합니다. 다만 훗날 무설지설無說之說과 구법지법無法之法이 바다 밖신라에 유포되면 그것으로 다행이 겠습니다." 하였다. 대사는 선사의 뜻이 이미 굳고 품성이 잘 깨달을 만함을 알고 한 번 보고도 옛날부터 안 것 같아 비밀히 심인을 전하였다. 이에 선사는 이미 赤水에서 잃은 구슬을 얻은 듯 마음에 환히 깨달으니 태허의 끝없이 넓음과 같았다. 무릇 오랑캐와 중국의 말이 다르지만 중심되는 실마리와 숨은 이치는 도끼자루를 베는 데 도끼를 잡지 않는다면 누가 이어 함께 할 수 있겠는가.

얼마 아니되어 서당이 입종하니 이에 빈 배에 머물지 아니하고 외로운 구름처럼 홀로 떠나 천지와 남북 간에 모양과 그림자가 서로 따르며 돌아다녔다. 명산과 신령한 곳을 두루 돈력한 바는 생략하여 싣지 아니한다. 서주西州 부사사浮沙寺에 이르러 대장경을 펼쳐 탐구함에 밤낮으로 오로지 정진하여 잠시라도 쉬지 아니하였다. 침상이 눕지도 않고 자리도 펴지 아니하여 3년이 되자 문장이 오묘하여도 궁구하지 못함이 없고 이치는 숨겨져 있어도 통달하지 아니함이 없었다. 또는 묵묵히 문장과 귀절을 생각하여 역력히 마음에 간직하였다.

모국을 떠나 여러 해가 되고 법을 펼칠 마음이 깊어져 드디어 군자의 나라 신라에 돌아갈 것을 말하고 신기루와 같은 파도를 가로질러 개성開成 4년839년 봄 2월 고국에 도착하였다. 이날 여러 신하가 함께 기뻐하고 동네에서 서로 경하하며 말하기를, "당시 옥같은 사람이 가버려 산과 골짜기에 사람이 없더니 오늘 그 구슬이 돌아오니 하천과 들은 보배를 얻었다. 부처님의 오묘한 뜻과 달마의 원만한 종지가 다 여기에 있도다. 비유컨대 공자께서 위나라에서 노나라로 돌아옴이라." 하였다.

이윽고 무주 관내 쌍봉난야에서 여름 안거를 하였을 때 햇볕이 너무 뜨거워 산천이 말라붙었는데 비는 물론 조각구름조차 없었다. 주사州司가 선사에게 간절히 청하니 선사가 고요한 방에 들어가 좋은 향을 사르며 하늘과 땅에 기원하였다. 잠시 후 단비가 미미하게 내려 무주 관내의 들을 적시더니 죽죽 쏟아져 큰 비가 되었다. 또 이악理嶽에 머물러 묵계默契할 때 골짜기에 홀연히 들불이 일어 사방에서 불이 나 암자를 태우려 하는데 인력으로는 구할 바가 아니요 또한 도망갈 길도 없었다. 선사가 단정히 앉아 묵묵히 생각하는 중에 소나기가 세차게 쏟아져 불을 모두 꺼버리니 온 산이 불탔으나 오직 일실一室만이 남았다. 일찍이 천태산天台山 국청사國淸寺에 머무를 때도 화가 있을 것을 미리 알고 옷을 털고 떠났는데, 사람들이 그 까닭을 알지 못하였으나 오래지 않아 온 절에 전염병이 돌아 죽은 자가 십여 명이었다. 처음 당나라에 갈 때 죄인의 무리와 함께 같은 배로 취성군에 도착하자 군감郡監이 이를 알고 칼을 씌워 가두고 추궁하였다. 선사는 흑백을 말하지 않고 또한 같이 하옥되었는데, 군감이 사실을 갖추어 아뢰고 교를 받아 30여 명의 목을 베었다. 마침내 순서가 선사에게 이르자 선사는 얼굴이 온화하여 죄인같지 않았고 스스로 형장에 나아가자 감사가 차마 바로 죽이라고 하지 못하였다. 곧 다시 명령이 있어 석방되니 오직 선사만이 [죽음을] 면하였다. 이처럼 선적의 쓰임[寂用]이 생각하기도 힘들고 얻기도 어려웠다. 하늘의 운행을 돌려 해를 붙잡고 땅을 줄여 산을 옮겼다. 선사는 또한 장애에 걸림이 없었으나 뛰어난 덕을 감추고 세속에 섞여 살며 명성을 드러내려 하지 않았다.

곡성군谷城郡 동남쪽에 산이 있어 동리桐裏라 하였고 그 속에 암자가 있어 이름을 대안大安이라 하였다. 그 절은 수많은 봉우리가 막아 가리고 한 줄기 강이 맑게 흘렀고, 길이 멀리 끊기어 세속의 무리들이 오는 이가 드물고 경계가 그윽히 깊어 승도들이 머물러 고요하였다. 용龍과 신神이 상서와 신이를 나타내고 해충과 뱀은 그 독과 모양을 숨기며, 소나무 숲이 빽빽하고 구름은 깊어 여름에는 서늘하고 겨울에는 따뜻하여 바로 이곳이 삼한三韓의 승지勝地였다. 선사가 석장을 잡고 와서 돌아보고 한적하게 머무를 뜻이 있어 이에 교화의 도량을 열어 자질을 갖춘 사람을 받아들이니, 점교 · 돈교를 닦는 사람이 사선四禪의 방에 구름처럼 모이고 현인과 우매한 이들이 팔정八定의 문에 그림자처럼 따라다녔다. 설사 마왕 파순의 무리와 바라문 수행자들이 있다 하더라도 어찌 正見에 귀의하여 요임금을 보고도 짖는 개의 잘못을 깨닫지 않겠는가? 이것이 바로 나부羅浮의 옛 일을 다시 봄이요, 조계의 오늘을 이룩한 것이다.

　문성대왕이 이를 듣고 상말의 시대에 여러 몸으로 나투었다고 이르고 자주 서신을 내려 위문하면서 또한 [선사개] 주석하는 절의 사방 바깥에 살생을 금하는 깃발幢을 세울 것을 허락하였다. 그리고 사신을 보내 나라를 다스리는 요체를 물으니 선사는 봉사封事 약간 조를 올렸는데 도두 당시 정사의 급한 일이라 왕이 매우 가상히 여겼다. 그가 조정을 도와 이롭게 하고 왕후王侯들이 예를 올린 것 또한 이루 다 말할 수 없다.

　당시 춘추는 77세요, 함통咸通 2년861 봄 2월 6일 질병이 없이 앉아서 천화遷化하니 지체가 흩어지지 않고 신색이 보통 때와 같았다. 곧 8일에 절의 송봉松峰에 안치하고 돌을 세워 부도로 하였다. 슬프도다! 색상色相은 본디 공하여 오고 감이 항상 고요하니 생멸을 돌아보지 않고 미혹한 범인凡人을 제도하였는데 전에 제도 받지 못한 자들은 홀연히 전생의 인연을 잃고 후생의 제도를 얻는다. 모름지기 진리에 도달한 사람은 보報과보를 다하였다고 여기어 형체가 시들어지니 비통하도다. 어느덧 대패를 거두고 거문고 줄을 끊어버렸다.

　임종 전에 세 번 머무르던 산의 북쪽에 가서 삼나무를 베어내게 했는데 크기가 네 아름이었다. [선사개] 이르기를, "사람에게는 죽음이 있으니 장차 이것은 관을 만들어 장사지내거라." 하고 절어 돌아와 벽 위에 관 그림을 그리게 하였다. 그리고 제자들에게 말하기를, "만물은 봄에 나고 가을에 시드나니 나는 곧 돌아갈 것이다. 이후로는 너희들과 함께 선을 이야기하고 도를 맛볼 수 없을 것이다." 하였다. 임종할 무렵 들짐승이 슬피 울부짖어 산과 골짜기가 다 흔들리고 갈가마귀 참새가 모여들어 모두 슬피 울었다.

부도 가까이에 한 그루 소나무가 있어 푸르고 울창하여 산중에 빼어났는데 무덤길을 낸 후로는 봄 여름에는 하얗고 가을 겨울로는 누렇게 되어 길이 조상하는 모양이 있었다.

임금께서 선사의 모든 행적을 듣고 세월이 오래되면 그 자취가 티끌처럼 흐려질까 염려하여 즉위한 8년<sup>868</sup> 여름 6월 어느 날에 윤지綸旨를 내려 이 글을 비에 새겨 장래의 거울이 되게 하셨다. 이에 시호를 내려 적인寂忍이라 하고 탑명을 조륜청정照輪淸淨이라 하니 성조聖朝의 은혜로운 대우가 넉넉하였고 선사의 빛나는 행적이 갖추어졌다. 사詞는 이렇다.

우리 선사의 큰 깨달음이여! 여러 몸을 나투었도다.
성性은 본디 공적함이여! 그 작용이 날로 새롭도다.
율律을 지키고 선禪을 행함이여! 무아無我한 사람이로다.
높은 산처럼 우러러 봄이여! 더불어 짝할 이가 없도다.
보배로운 달처럼 항상 원만함이여! 중생의 길을 비추었다.
복된 물줄기가 맑게 흐름이여! 육진六塵을 쓸어가네.
점돈漸頓이 구름처럼 모여듦이여! 손님으로 대하지 못하였네.
설법과 침묵은 근기根機에 따름이여! 영원히 참된 보배로다.
비가 산불에 쏟아짐이여! 곤진崑珍을 구하였네.
가뭄을 걱정함이여! 용신龍神이 감응하였네.
죄인이 아니로되 형장에 나아감이여! 후명後命이 이르렀도다.
미리 재앙을 피함이여! [남들이] 까닭을 알지 못하였다.
홀연히 천화遷化함이여! 대춘大椿이 일찍 죽음이라.
백 명이 넘는 문도들이여! 피눈물로 수건을 적시네.
시호를 적인寂忍이라 하사함이여! 탑은 조륜照輪이라 하였도다.
이 은우恩遇가 세상에 영원함이여! 어찌 만년 뿐이리요.

중사인 신 극일克一이 왕명을 받들어 쓰고

함통 13년 세차 임진 8월 14일 세우다. 사문 행종幸宗.


비말碑末 복전수와 법석. 당시 복전은 40인이며 항상 신중법석神衆法席을 행하였고 본래 정한 특별한 법석은 없다. 본전本傳은 식食 2,939석石 4두斗 2승升 5합合이며 예식例食으로 보시한 등유는 없다. 전답시田畓柴는 전답을 합하여 494결結 39부負, 좌지坐地 3결結, 하원下院 대전代田 4결 72부, 시지柴地 143결, 두원荳原 땅의 염전 43결이다. 노비는 노奴 10명名 비婢 13구口이다.

<sub>출처 김남윤_국립문화재연구원</sub>

# 제2장 부처님 세계[佛世界海]가 펼쳐진 공산公山

## 1. 산 자에게 행복을, 죽은 자에게 왕생을

### 1) 『동국이상국집東國李相國集』 제25권 잡저雜著
  : 대장경大藏經을 판각할 때 군신君臣의 기고문祈告文

國王諱。謹與太子公侯伯宰樞文虎百寮等。熏沐齋戒。祈告于盡虛空界十方無量諸佛菩薩及天帝釋爲首三十三天一切護法靈官。甚矣達旦之爲患也。其殘忍凶暴之性。已不可勝言矣。至於癡暗昏昧也。又甚於禽獸。則夫豈知天下之所敬有所謂佛法者哉。由是凡所經由。無佛像梵書。悉焚滅之。於是符仁寺之所藏大藏經板本。亦掃之無遺矣。嗚呼。積年之功。一旦成灰。國之大寶喪矣。雖在諸佛多天大慈之心。是可忍而孰不可忍耶。因竊自念。弟子等智昏識淺。不早自爲防戎之計。力不能完護佛乘。故致此大寶喪失之災。實弟子等無狀所然。悔可追哉。然金口玉說。本無成毀。其所寓者。器耳。器之成毀。自然之數也。毀則改作。亦其所也。況有國有家。崇奉佛法。固不可因循姑息。無此大寶。則豈敢以役鉅事殷爲慮。而憚其改作耶。今與宰執文虎百僚等。同發洪願。已署置句當官司。俾之經始。因考厥初草創之端。則昔顯宗二年。契丹主大擧兵來征。顯祖南行避難。丹兵猶屯松岳城不退。於是乃與群臣。發無上大願。誓刻成大藏經板本。然後丹兵自退。然則大藏。一也。先後雕鏤。一也。君臣同願。亦一也。何獨於彼時丹兵自退。而今達旦不爾耶。但在諸佛多天鑑之之何如耳。苟至誠所發。無愧前朝。則伏願諸佛聖賢三十三天。諒懇迫之祈。借神通之力。使頑戎醜俗。斂蹤遠遁。無復蹈我封疆。干戈載戢。中外晏如。母后儲君。享壽無彊。三韓國祚永永萬世,則弟子等當更努力,益護法門,粗報佛恩之萬一耳。弟子等無任懇禱之至,伏惟炤鑑云云。

국왕國王 휘諱는 태자太子 · 공公 · 후侯 · 백伯 · 재추宰樞, 문무 백관 등과 함께 목욕 재계하고 끝없는 허공계虛空界, 시방의 한량없는 제불보살諸佛菩薩과 천제석天帝釋을 수반으로 하는 삼십삼천三十三天의 일체 호법영관護法靈官에게 기고祈告합니다.

심하도다, 달단이 환란을 일으킴이여! 그 잔인하고 흉포한 성품은 이미 말로 다할 수 없고, 심지어 어리석고 혼암함도 또한 금수禽獸보다 심하니, 어찌 천하에서 공경하는 바를 알겠으며, 이른바 불법佛法이란 것이 있겠습니까?

이런 때문에 그들이 경유하는 곳에는 불상佛像과 범서梵書를 마구 불태워버렸습니다. 이에 부인사符仁寺에 소장된 대장경大藏經 판본도 또한 남김없이 태워버렸습니다. 아 여러 해를 걸려서 이룬 공적이 하루아침에 재가 되어버렸으니, 나라의 큰 보배가 상실되었습니다. 제불다천諸佛多天의 대자심大慈心에 대해서도 이런 짓을 하는데 무슨 짓을 못하겠습니까?

생각하건대, 제자 등이 지혜가 어둡고 식견이 얕아서 일찍이 오랑캐를 방어할 계책을 못하고 힘이 능히 불승佛乘을 보호하지 못했기 때문에 이런 큰 보배가 상실되는 재화를 보게 되었으니, 실은 제자 등이 무상한 소치입니다. 후회한들 소용이 있겠습니까?

그러나 금구옥설金口玉說은 본래 이루게 되거나 헐게 되는 것이 아니요, 그 붙여 있는 바가 그릇이라 그릇의 이루어지고 헐어지는 것은 자연의 운수입니다. 헐어지면 고쳐 만드는 일은 또한 꼭 해야 할 것입니다. 하물며 국가가 불법을 존중해 받드는 처지이므로 진실로 우물우물 넘길 수는 없는 일이며, 이런 큰 보배가 없어졌으면 어찌 감히 역사가 거대한 것을 염려하여 그 고쳐 만드는 일을 꺼려 하겠습니까?

이제 재집宰執과 문무 백관 등과 함께 큰 서원誓願을 발하여 이미 담당 관사

官司를 두어 그 일을 경영하게 하였고, 따라서 맨 처음 초창草創한 동기를 고찰하였더니, 옛적 현종 2년에 거란주契丹主가 크게 군사를 일으켜 와서 정벌하자, 현종은 남쪽으로 피난하였는데, 거란 군사는 오히려 송악성松岳城에 주둔하고 물러가지 않았습니다. 그러나 현종은 이에 여러 신하들과 함께 더할 수 없는 큰 서원을 발하여 대장경 판본을 판각해 이룬 뒤에 거란 군사가 스스로 물러갔습니다.

그렇다면 대장경도 한가지고, 전후 판각한 것도 한가지고, 군신이 함께 서원한 것도 또한 한가지인데, 어찌 그때에만 거란 군사가 스스로 물러가고 지금의 달단은 그렇지 않겠습니까? 다만 제불다천諸佛多天이 어느 정도를 보살펴 주시느냐에 달려 있을 뿐입니다.

진실로 지성으로 하는 바가 전조前朝에 부끄러워할 것이 없으니, 원하옵건대 제불성현 삼십삼천諸佛聖賢三十三天은 간곡하게 비는 것을 양찰하셔서 신통한 힘을 빌려주어 완악한 오랑캐로 하여금 멀리 도망하여 다시는 우리 국토를 밟는 일이 없게 하여, 전쟁이 그치고 중외가 편안하며, 모후母后와 저군儲君이 무강한 수를 누리고 나라의 국운이 만세토록 유지되게 해주신다면, 제자 등은 마땅히 노력하여 더욱 법문法門을 보호하고 부처의 은혜를 만분의 일이라도 갚으려고 합니다. 제자 등은 간절히 비는 마음 지극합니다. 밝게 살펴 주시기를 삼가 바랍니다. 운운云云.

출전 : 한국고전종합DB https://db.itkc.or.kr/

## 2. 공산公山에서 움튼 정혜결사

### 1) 『권수정혜결사문勸修定慧結社文』

當捨名利 隱遁山林 結爲同社 常以習定均慧 爲務 禮佛轉經 以至於執勞運力 各隨所任而經營之 隨緣養性 放曠平生 遠追達士眞人之高行則豈不快哉

이 법회가 끝난 후에 마땅히 명리名利를 버리고 산림山林에 은둔하여 함께 결사結社하자. 항상 선정禪定과 지혜智慧를 고루 익히는데 힘쓰며, 예불하고 전경轉經하고 나아가 일하고 함께 운력運力하는 데에 이르기까지 각각 소임대로 살며, 인연을 따라 심성을 수양하여 한 평생을 구속 없이 지내면서 멀리 달사達士와 진인眞人의 높은 수행을 따른다면 어찌 기쁘지 않겠는가!

### 2) 『권수정혜결사문勸修定慧結社文』

會後 當捨名利 隱遁山林 結爲同社 常以習定均慧 爲務 禮佛轉經 以至於執勞運力 各隨所任而經營之 隨緣養性 放曠平生 遠追達士眞人之高行則豈不快哉 … 諸公聞語 咸以爲然曰 他日能成此約 隱居林下 結爲同社則宜以定慧名之

1182년명종 12 정월에 개성開城 보제사普濟寺의 담선법회談禪法會에 올라갔다. 하루는 도반 십여 명과 더불어 약속하기를, '이 법회가 끝난 후에 마땅히 명리名利를 버리고 산림山林에 은둔하여 함께 결사結社하자. 항상 선정禪定과 지혜智慧를 고루 익히는데 힘쓰며, 예불하고 전경轉經하고 나아가 일하고 함께 작업運力하는 데 이르기까지 각각 소임대로 살며, 인연을 따라 심성을 수양하여 한 평생을 구속 없이 지내면서 멀리 달사達士와 진인眞人의 높은 수행을 따른다면 어찌 기쁘지 않겠는가!'라고 하였다. … 여러 사람이 내 말을 듣고 모두 그렇다고 여기며 말하기를, '뒷날에 능히 이 언약을 지켜 숲속에 은거하여 함께 결사結社를 하면, 마땅히 정혜定慧로 이름합시다.'라고 하였다.

### 3) 『고려사절요高麗史節要』 권 제12 명종 10년 7월 조
: 중방에서 종참 등을 유배 보내다

秋七月. 重房流宗旵等十餘僧于海島. 初, 宗旵等與鄭筠謀殺李義方, 遂與筠親比, 出入後庭無忌. 及筠死, 一時武臣皆義方麾下, 且以謂軍國權柄屬重房者, 實由義方之力, 遂流之.

가을 7월. 중방重房에서 종참宗旵 등 십여 명의 중을 섬으로 유배 보내었다. 예전에 종참 등은 정균鄭筠과 더불어 모의하여 이의방을 죽였고, 마침내 정균과 가까이 하며 친하게 지내면서 후정後庭에 출입하는 것에도 거리낌이 없었다. 정균이 죽자 당시 무신이 모두 이의방의 휘하에 있었었고 또 군국軍國의 권력이 중방重房에 속하게 된 것은 모두 이의방의 힘에 연유한 것으로 여겼으므로 마침내 종참 등을 유배 보냈다.

<sub>출전: 국사편찬위원회 한국사데이터베이스 https://db.history.go.kr</sub>

### 4) 『고려사절요高麗史節要』 권 제12 명종 11년 7월 조
: 재추와 중방 등이 모여 물가와 평두곡을 정하다

宰樞重房臺諫會奉恩寺, 定市價平斗斛, 犯者配海島.

재추宰樞・중방重房・대간臺諫이 봉은사奉恩寺에 모여 시장의 물가[市價]와 평두곡平斗斛을 정하고, 어기는 자는 섬으로 귀양 보내기로 하였다.

### 5) 『고려사절요高麗史節要』 권 제1 명종 1년 1월 조
: 이고가 반란을 일으키려다가 실패하여 죽임을 당하다

大將軍韓順將軍韓恭申大輿史直哉車仲規等相與言, "李義方李高等擅殺朝臣, 害及忠良, 非義也." 義方等聞之, 執而殺之. 惟仲規以義方素親, 流之. 高有非望之志, 陰結惡小及法雲寺僧修惠開國寺僧玄素等, 日夜宴飮, 因謂曰, "大事若成, 汝輩皆登峻班." 遂作僞制. 及元子冠, 王將宴于麗正宮. 高爲宣花使, 當預宴, 陰令玄素招致惡小于法雲寺修惠房, 斬馬饗之, 使各袖刃, 隱于墻屛間, 將作亂. 有校尉金大用之子爲高驅使, 聞其謀, 以告大用. 大用與內侍將軍蔡元善, 遂往告之. 義方素惡高逼己, 至是, 亦知其謀, 與元, 候高等至宮門外, 卽以鐵鎚擊殺之, 令巡檢軍分捕其母及黨與, 皆誅之. 其父嘗以高不肖, 不以爲子, 故免死配流.

대장군大將軍 한순韓順, 장군將軍 한공韓恭·신대여申大輿·사직재史直哉·차중규車仲規 등이 서로 더불어 말하기를, "이의방李義方·이고李高 등이 멋대로 조신朝臣을 죽여 해害가 충성스럽고 선량한 사람들에게까지 미치니, 의義가 아니다."라고 하였다. 이의방이 이것을 듣고 그들을 잡아 죽였다. 오직 차중규만이 평소 이의방과 친분이 있었다고 하여 유배 보냈다. 이고가 분수에 맞지 않는 희망에 뜻을 두고 있어 불량배[惡小] 및 법운사法雲寺 중 수혜修惠, 개국사開國寺중 현소玄素 등과 몰래 결탁하고 밤낮으로 연회를 벌여 술을 마시며 일러 말하기를, "큰 일이 만약에 성공하면 너희들은 모두 높은 벼슬[峻班]에 오를 것이다."라고 하였다. 마침내 거짓으로 제서를 만들었다. 원자元子가 관례冠禮를 치를 즈음에 왕이 장차 여정궁麗正宮에서 잔치를 베풀려 하였다. 이고가 선화사宣花使가 되어 잔치에 참석하게 되자 몰래 현소玄素를 시켜 불량배[惡小]를 법운사 수혜의 방에 불러 모으게 하고 말을 죽여 그 고기를 먹고는 각자 소매에 칼을 감추고 담장 사이에 숨었다가 장차 난을 일으키려 하였다.

교위校尉 김대용金大用의 아들로 이고의 구사驅使가 된 이가 있었는데, 그 음모를 듣고는 김대용에게 고했다. 김대용은 내시장군內侍將軍 채원蔡元과 사이가 좋았는데, 마침내 가서 음모를 고하였다. 이의방李義方은 자기를 핍박한다 하여 평소 이고를 싫어했는데, 이에 이르자 또한 그 모의를 알고는 채원과 함께 이고 등이 궁궐문 밖에 이르기를 기다려 즉시 철퇴로 때려 죽이고는 순검군巡檢軍으로 하여금 그 어미와 당여黨與를 사로잡게 하여 모두 죽였다. 그 아비는 평소 이고가 못나고 어리석다 하여 아들로 여기지 않았으므로 죽음을 면하고 유배 되었다.

## 6) 『고려사절요高麗史節要』 권 제12 명종 4년 1월 조
: 개경 사찰의 승려들이 이의방을 제거하려다 실패하다

甲午四年宋淳熙元年, 金大定十四年. 春正月. 歸法寺僧百餘人犯城北門, 殺宣諭僧錄彦宣, 李義方率兵千餘, 擊殺數十僧, 餘皆散去, 兵卒亦多死傷者. 重光弘護歸法弘化諸寺僧二千餘人集城東門, 門閉. 乃燒城外人家, 欲延燒崇仁門, 入殺義方兄弟. 義方知之, 徵集府兵逐之, 斬僧百餘, 府兵亦多死者. 乃令府兵分守城門, 禁僧出入, 遣府兵破重光弘護歸法龍興妙智福興等寺. 李俊儀止之, 義方怒曰, "若從爾言, 事不成矣." 遂焚其寺, 取貨財器皿以歸. 僧徒要擊於路, 還奪之, 府兵死者甚衆. 俊儀罵義方曰, "汝有三大惡, 放君而弒之, 取其第宅姬妾, 一也. 脅奸太后女弟, 二也. 專擅國政, 三也." 義方大怒, 拔劍欲殺之, 文克謙止之曰, "以弟殺兄, 惡莫大焉, 何面目見人乎. 若吾言不可聽, 請先殺我." 義方與克謙相善, 且其弟隣之外舅, 故從其言. 俊儀走出西門, 義方引劍割其胸而臥. 鄭仲夫曰, "兄弟鬪於宮中, 何理耶." 欲執俊儀殺之, 仲夫妻聞之, 使人謂曰, "義方兄弟之事, 於卿何有." 由是, 俊儀得免. 然交舊莫敢往見, 門客亦散, 俊儀往謝義方, 義方亦潛往謝之.

갑오 4년[1174] 송 순희 원년, 금 대정 14년 봄 정월. 귀법사歸法寺 중 100여 인이 성의 북문北門을 침범하여 선유승록宣諭僧錄 언선彦宣을 죽이자 이의방李義方이 병사 1,000여 인을 이끌고 수십 명의 중을 죽이니 나머지는 모두 흩어져 가버렸고 병졸 또한 죽거나 다친 자가 많았다. 중광사重光寺·홍호사弘護寺·귀법사歸法寺·홍화사弘化寺 등 여러 절의 중 2,000여 인이 성 동문東門에 모이자 성문을 닫아버렸다. 이에 성 밖의 인가에 불을 질러 그 불이 번져 숭인문崇仁門이 불타자 성으로 들어가 이의방 형제를 죽이고자 하였다. 이의방이 이를 알고 부병府兵을 징집하여 중들을 쫓아버리고 중 100여 명을 베어 죽였는데, 부병 또한 죽은 자가 많았다. 이에 부병으로 하여금 성문을 나누어 지키게 하고 증의 출입을 금지하였으며, 부병을 보내 중광사重光寺·홍호사弘護寺·귀법사歸法寺·용흥사龍興寺·묘지사妙智寺·복흥사福興寺 등의 절을 파괴하였다. 이준의가 그를 제지하였더니 이의방이 성내며 말하기를, "만약 그대 말을 따른다면 일은 이루어지지 못할 것입니다."라고 하였다. 마침내 그 절에 불을 지르고 재물貨財과 기명器皿을 빼앗아 돌아갔다. 승도僧徒들이 길에서 기다리고 있다가 중간에 마주쳐 공격하여 물건들을 빼앗아서 돌아가니 부병 가운데 죽은 자가 매우 많았다. 이준의가 이의방을 꾸짖으며 말하기를, "네게는 세 가지 큰 죄악이 있으니, 임금을 추방하고서 죽이고 그 저택과 희첩姬妾을 취한 것이 첫째이다. 태후의 여동생을 위협하여 간통한 것이 둘째이다. 국정을 전단한 것이 셋째이다."라고 하였다. 이의방이 크게 화를 내며 칼을 뽑아 그를 죽이고자 하니 문극겸文克謙이 그를 제지하며 말하기를, "동생이 형을 죽이는 것은 죄악이 그보다 큰 것이 없으니 무슨 면목으로 사람을 보겠는가. 만약 내 말을 들을 수 없다면 먼저 나를 죽이라."라고 하였다. 이의방과 문극겸은 서로 사이가 좋았고, 또 [문극겸은] 그 아우 이린李隣의 장인이므로 그 말을 쫓았다. 이준의가 도망쳐 서문西門으로 나가니 이의방은 검을 빼 자신의 가슴을 베고 누웠다. 정중부鄭仲夫가 말하기를,

"형제가 궁중에서 싸우니 무슨 이유인가."라고 하였다. [정중부가] 이준의를 잡아 죽이려고 하니 정중부의 처가 그것을 듣고 사람을 시켜 일러 말하기를, "이의방 형제의 일이 당신과 무슨 상관이 있습니까."라고 하였다. 이로 말미암아 이준의는 죽음을 면할 수 있었다. 그러나 [이준의가] 사귀던 옛 친구들[交舊]은 감히 [이준의를] 찾아가 보지 못하였고 문객門客 또한 흩어지니 이준의는 이의방에게 가서 사과하였고, 이의방 또한 몰래 가서 이준의에게 사과하였다.

### 7) 『조선불교월보朝鮮佛教月報』 제19호

二十五以大定二十二年壬寅擧僧選中之. 未幾南遊抵昌平淸源寺. 住錫焉偶一日於學寮開六祖壇經至曰眞如自性起念六根. 雖見聞覺知. 不染萬像而眞性常自在

25세인 대정 22년 임인일에 승과에 나가서 합격하였다. 얼마 지나지 않아 남으로 창평 청원사에 유람하여 이르렀다. 그곳에서 주석하다가 우연히 하루는 요사채에서 『육조단경』을 열어보고서 지극하게 말씀하셨다. "진여자성眞如自性이 마음을 일으키니 육근[六根; 인간의 6가지 감각기관 및 감각 능력]이 비록 보고·듣고·생각하고·느낀다고 하여도 모든 사물을 오염시키지 못하며 진성眞性은 항상 자재自在한다."

출전: 불교기록문화유산아카이브 https://kabc.dongguk.edu

### 8) 『대방광불화엄경大方廣佛華嚴經』 「여래출현품如來出現品」

奇哉奇哉 此諸衆生云何具有如來智慧 愚癡迷惑不知不見 我當敎以聖道 令其永離妄想執着 自於身中得見如來廣大智慧 與佛無異

기이하도다 기이하도다! 이 모든 중생이 어찌 알겠는가 여래의 지혜를 다

갖추고 있음에도 불구하고 어리석고 미혹하여 알지 못하고 보지 못하는구나 내가 마땅히 중생을 진리로 가르쳐서 망상과 집착을 완전히 떠나게 하여 스스로 자신의 몸 가운데에서 부처의 몸과 다름이 없는 여래의 광대한 지혜가 있음을 깨닫게 하리라.

<small>출전: 불교기록문화유산아카이브https://kabc.dongguk.edu</small>

### 9) 『권수정혜결사문勸修定慧結社文』

知訥 以是長歎 其來久矣 歲在壬寅正月 赴上都普濟寺談禪法會 一日 與同學十餘人 約曰罷會後 當捨名利 隱遁山林 結爲同社 常以習定均慧 爲務 禮佛轉經 以至於執勞運力 各隨所任而經營之 隨緣養性 放曠平生 遠追達士眞人之高行則豈不快哉

나 지눌이 이 점을 길게 탄식해 온 지 오래되었다. 임인년壬寅年 정월에 개성開城 보제사普濟寺의 담선법회談禪法會에 올라갔다. 하루는 도반 십여 명과 더불어 약속하기를, '이 법회가 끝난 후에 마땅히 명리名利를 버리고 산림山林에 은둔하여 함께 결사結社하자. 항상 선정禪定과 지혜智慧를 고루 익히는데 힘쓰며, 예불하고 전경轉經하고 나아가 일하고 함께 조업運力하는 데 이르기까지 각각 소임대로 살며, 인연을 따라 심성을 수양하여 한 평생을 구속 없이 지내면서 멀리 달사達士와 진인眞人의 높은 수행을 따른다면 어찌 기쁘지 않겠는가!'라고 하였다.

### 10) 『권수정혜결사문勸修定慧結社文』

噫 夫欲離三界 而未有絶塵之行 徒爲男子之身 而無丈夫之志 上乖弘道 下闕利生 中負四恩 誠以爲恥 知訥 以是長歎 其來久矣 歲在壬寅正月 赴上都普濟

寺談禪法會 一日 與同學十餘人 約日罷會後 當捨名利 隱遁山林 結爲同社 常以習定均慧 爲務 禮佛轉經 以至於執勞運力 各隨所任而經營之 隨緣養性 放曠平生 遠追達士眞人之高行則豈不快哉 諸公 聞語日時當末法 正道沈隱 何能以定慧爲務 不如勤念彌陀 修淨土之業也 余日 時雖遷變 心性 不移 見法道之興衰者 是乃三乘權學之見 有智之人 不應如是 君我逢此最上乘法門 見聞薰習 豈非宿緣 而不自慶 返生絶分 甘爲權學人則可謂辜負先祖 作最後斷佛種人也 念佛轉經 萬行施爲 是沙門 住持常法 豈有妨碍 然不窮根本 執相外求 被恐智人之所嗤矣.

슬프다. 대저 삼계三界를 여의고자 하면서도 정작 번뇌를 끊는 수행은 하지 않는다. 몸만 남자일 뿐 장부의 뜻은 없다! 위로는 도를 넓히는데 어긋나고 아래로는 중생을 이롭게 하지 못하며, 가운데로는 네 가지 은혜[四恩]를 저버렸으니 참으로 부끄럽다.

내가 이 점을 길게 탄식해 온 지 오래 되었다. 임인년壬寅年 정월에 개성開城 보제사普濟寺의 담선법회談禪法會에 올라갔다. 하루는 도반 10여 명과 더불어 약속하기를, '이 법회가 끝난 후에 마땅히 명리名利를 버리고 산림山林에 은둔하여 함께 결사結社하자. 항상 선정禪定과 지혜智慧를 고루 익히는데 힘쓰며, 예불하고 전경轉經하고 나아가 일하고 함께 작업運力하는 데 이르기까지 각각 소임대로 살며, 인연을 따라 심성을 수양하여 한 평생을 구속 없이 지내면서 멀리 달사達士와 진인眞人의 높은 수행을 따른다면 어찌 기쁘지 않겠는가!'라고 하였다.

여러 도반들이 이 말을 듣고 말하였다. '지금은 말법末法의 시대이라. 정도正道가 잠겨서 숨어버렸다. 어떻게 선정과 지혜에만 힘쓸 수 있겠는가. 부지런히 아미타불阿彌陀佛을 염念하여 정토淨土의 덕업德業을 닦는 편이 낫지 않는가!'

내가 말하였다. "시대는 비록 흘러서 변하더라도 심성心性은 바뀌지 않는다. 법도法道가 흥망성쇠한다는 견해는 바로 삼승권학三乘勸學의 소견이다. 지혜 있는 사람은 응당 이와 같은 견해를 가져서는 안 된다. 그대들과 나는 최상승最上乘의 법문法門을 만나서 보고 듣고 훈습薰習하였다. 어찌 숙세의 인연宿緣이 아니겠는가! 그런데도 스스로 경사로 여기지 않고 도리어 분에 넘친다는 생각으로 삼승권학을 하는 사람이 되겠다고 한다면, 옛 조사들先祖을 저버릴 뿐만 아니라 끝내는 부처의 씨앗佛種마저 끊어버릴 사람이라 할만하다. 물론 염불念佛, 전경轉經, 만행萬行 등 모든 일은 사문沙門이 일상에서 지녀야 하는 법이므로 방해가 될 리 없다. 하지만 근본은 궁구窮究하지 않고 상相에만 집착하여 밖에서 구한다면 지혜 있는 사람으로부터 비웃음을 살까 두렵다.

### 11) 『권수정혜결사문勸修定慧結社文』

自他身心 從緣幻起 空無體性 猶如浮泡 亦如雲影 一切毁譽是非音聲 喉中妄出 如空谷響 亦如風聲 如是虛妄自他境界 察其根由 不隨傾動 全身定質 守護心城 增長觀照 寂爾有歸 恬然無間 當是時也 愛惡自然淡薄 悲智自然增明 罪業自然斷除 功行自然增進 煩惱盡時

자신과 타인의 몸과 마음에서 인연을 따라서 환화를 일으키니 공하여 체성이 없는 것이 마치 떠다니는 파도와 같고 또한 구름이나 그림자와 같다. 모든 폄하하고 칭찬하는 소리도 또한 실체있는 음성이 아니지만 목구멍에서 망령되게 흘러나오는 것이 빈 계곡의 메아리 같고 또한 바람소리와 같다. 이와 같이 허망한 자타自他의 경계에서 그 근본 연유를 살펴서 한쪽으로 쏠리지 않아 온몸을 고요하게 하고, 마음을 성城처럼 굳게 지켜서 밝게 비춤觀照을 증장시키면, 고요하여 돌아갈 곳이 있고 활연하여 간격이 없다. 이때가 되면 애증이 자연히 묽어지고 자비와 지혜가 자연히 더욱 밝아지며 죄업罪業이 자연히 끊어지고 공행功行이 자연히 증진된다. 그래서 번뇌가 다하고 생사가 끊어진다.

12) 『권수정혜결사문勸修定慧結社文』

伏望禪敎儒道 厭世高人 脫略塵寰 高遊物外 而專精內行之道符於此意 則雖無往日結契之因 許題名字於社文之後 雖未一會而蘊習 常以攝念觀照爲務 而同修正因

바라건대 선종禪宗, 교종敎宗, 유교儒敎, 도교道敎 할 것 없이 세속에 염증을 앓는 고인高人이 티끌 세상을 훌훌 벗어버리고 세상 밖에서 고아하게 노니면서 안으로 수행하는 도에 전념하여 이 뜻에 부합하면, 비록 지난날 결사를 약속했던 인연은 없더라도 결사문結社文 뒤에 이름을 넣기를 허락하고자 한다. 그들이 미처 한자리에 모여 수행하지는 못했더라도 항상 망념을 거두어 들여 관조하기를 힘써 바른 인연[정인正因: 핵심적인 원인]을 같이 닦고자 한다.


## 3. 중생불국의 염원을 담은 공산公山

### 1)「보각국사비명普覺國師碑銘」

**高麗國華山曹溪宗麟角寺迦智山下普覺國尊碑銘幷序.**

宣授朝列大夫遙授翰林直學士正獻大夫密直司左承旨國學大司成文翰侍講學士充史館修撰官知制誥知判圖司事世子右諭善大夫賜紫金漁袋臣閔漬奉勅, 撰.

夫淸鏡濁金, 元非二物, 渾波湛水, 同出一源. 基本同而末異者, 在乎磨與不磨, 動與不動耳. 諸佛衆生, 性亦如是, 但以迷悟爲別, 孰云愚智有種? 以至愚望大覺, 勢絶霄壤, 及乎一廻機, 便同本覺. 自迦葉微笑, 達磨西來, 燈燈相續, 直至于今者, 皆以此也. 傳其心, 得其髓, 廻慧日於虞淵, 曜神光於桑域者, 惟我國尊有焉.

國尊諱見明, 字晦然, 後易名一然. 俗姓金氏, 慶州章山郡人也. 考諱彦弼, 不仕, 以師故, 贈左僕射. 妣李氏, 封樂浪郡夫人. 初母夢日輪入屋, 光射于腹者, 凡三夜. 因而有娠. 泰和丙寅六月辛酉, 誕焉. 生而俊邁, 儀表端嚴, 豊準方口, 牛行虎視.

小有出塵志, 年甫九歲, 往依海陽無量寺, 始就學, 而聰警絕倫. 有時危坐盡夕, 人異之. 興定己卯, 就陳田長老大雄, 剃度受具. 於是遊歷禪肆, 聲價藉甚, 時輩推爲九山四選之首. 丁亥冬, 赴選佛場, 登上上科. 厥後, 寄錫于包山寶幢庵, 心存禪觀.

丙申秋, 有兵亂. 師欲避地, 因念文殊五字呪, 以期感應. 忽於壁間, 文殊現身曰, "無住北." 明年夏, 復居是山妙門庵. 庵之北, 有嵓若曰無住. 師乃悟前記, 住是庵. 時常以生界不減, 佛界不增之語, 參究之. 忽一日, 豁然有悟, 謂人曰, "吾今日, 乃知三界如幻夢, 見大地無纖豪礙." 是年, 批授三重大師. 丙午, 加禪師.

己酉, 鄭相國晏捨南海私第爲社, 曰定林, 請師主之. 己未, 加大禪師. 中統辛酉, 承詔赴京, 住禪月社, 開堂, 遙嗣牧牛和尙. 至至元元年秋, 累請南還, 寓吾魚社. 未幾, 仁弘社主萬恢, 讓師主席, 學呂雲臻. 戊辰夏, 有朝旨, 集禪敎名德一百員, 設大藏落成會於雲海寺, 請師主盟. 晝讀金文, 夜談宗趣, 諸家所疑, 師皆剖釋如流, 精義入神, 故無不敬服.

師住仁弘十一年. 是社創構旣遠, 殿宇皆頹圮, 又且湫溢, 師竝重新恢廓之. 仍奏于朝, 改號仁興, 宸書題額以賜之. 又於包山東麓, 重葺湧泉寺, 爲佛日社. 上卽祚四年丁丑, 詔住雲門寺, 大闡玄風. 上且深傾注, 以詩寄云, "密傳何必更摳衣, 金地逢扚亦是奇. 欲乞璉公邀闕下, 師何長戀白雲枝."

辛巳夏, 因東征, 駕幸東都, 詔師赴行在. 及至, 疏請陞座, 倍生崇敬. 因取師佛日結社文, 題押入社. 明年秋, 遣近侍將作尹金頣, 賫詔迎至闕下. 請於大殿設禪, 喜溢龍顔. 勅有司, 舘于廣明寺. 入院日夜半, 有人立方丈外曰, "善來."

者三, 視之, 無有也. 冬十二月, 乘輿親訪, 咨問法要.

明年春, 上謂群臣曰, "我先王, 皆得釋門德大者, 爲王師, 德又大者, 爲國師. 在否德獨無, 可乎? 今雲門和尙, 道尊德盛, 人所共仰, 豈宜寡人獨蒙慈澤? 當與一國共之." 於是, 遣右承旨廉承益, 奉綸旨, 請行闔國尊師之禮, 師上表固讓. 上復遣使, 牢請至三, 仍命上將軍羅裕等, 册爲國尊, 號圓徑沖照. 册訖, 四月辛卯, 迎入大內, 躬率百僚, 行摳衣禮. 改國師爲國尊者, 爲避大朝國師之號也.

師素不樂京輦. 又以母老, 乞還舊山, 辭意甚切. 上重違其志, 而允之. 命近侍佐郞黃守命護行, 下山寧親, 朝野嘆其希有. 明年, 母卒, 年九十六. 是年, 朝庭以麟角寺爲下安之地, 勅近侍金龍劒, 修葺之. 又納土田百餘頃, 以貴常住. 師入麟角, 再闢九山門都會, 叢林之盛, 近古未曾有也.

越己丑六月, 示疾, 至七月七日, 手寫上太內書, 又命侍者, 作書寄相國廉公. 告以長往. 因與諸禪老, 問答移晷. 是夜, 有長星大尺圍, 隕于方丈. 後翌日乙酉, 晨起盥浴而坐. 謂衆曰, "今日吾當行矣. 不是重日耶?" 云, "不是." 曰, "然則可矣." 令僧撾法鼓, 師至善法堂前, 踞禪床, 封印寶, 命掌選別監金成固, 重封畢, 謂曰, "適値天使來, 見老僧末後事."

有僧出問, "釋尊示滅於鶴林, 和尙歸眞於麟嶺. 未審相去多少." 師拈拄杖, 卓一下云, "相去多少." 進云, "伊麽, 則今古應無墜, 分明在目前." 師又卓一下云, "分明在目前." 進云, "三角麒麟入海中, 空餘片月波心出." 師云, "他日歸來, 且與上人, 重弄一場."

又有僧問, "和尙百年後, 所須何物?" 師云, "只這箇." 進云, "重與君王, 造箇無縫塔樣, 又且何妨." 師云, "甚麽處去來." 進云, "也須問過?" 師云, "知是般事, 便休." 又有僧問, "和尙在世如無世, 視身如無身, 何妨住世轉大法輪?" 師云, "隨處, 作佛事."

問答罷, 師云, "諸禪德, 日日報之. 痛痒底, 不痛痒底, 模糊未辨." 乃拈拄杖,卓一下云, "這箇是痛底?" 又卓一下云, "這箇是痛底?" 又卓一下云, "這箇是不痛底?" 不卓一下云, "這箇是痛底, 是不痛底, 試辨看." 便下座, 歸方丈. 又坐小禪床, 言笑自若. 俄頃, 手結金剛印, 泊然示滅. 有五色光起方丈後, 直如幢, 其端煜煜如炎火, 上有白雲如蓋, 指天而去. 時秋暑方熾, 顏貌鮮白, 支體瑩澤, 屈伸如生. 遠近觀者如堵.

丁亥, 闍維, 拾靈骨, 置于禪室中. 門人賫遺狀印寶, 乘傳以聞. 上震悼, 遣判觀候署事, 令倜展飾終之禮. 又命按廉使監護喪事. 仍降制, 諡曰普覺, 塔曰靜照. 十日辛酉, 塔于寺之頁崗. 享年八十四, 臘七十一.

師爲人, 言無戲謔, 性無緣飾, 以眞情遇物, 處衆若獨, 居尊若卑. 於學, 不由師訓, 自然通曉. 旣入道穩實, 而縱之以無礙辯. 至古人之機緣語句, 盤根錯節, 渦旋波險處, 抉別疏鑒, 恢恢焉游刀有餘.

又於禪悅之餘, 再閱藏經, 窮究諸家章疏, 旁涉儒書, 兼貫百家, 而隨方利物, 妙用縱橫. 凡五十年間, 爲法道稱首, 隨所住處, 皆爭景慕, 唯以未參堂下爲恥. 雖魁傑自負者, 但受遺芳餘潤, 則莫不心醉而自失焉. 養母純孝, 慕睦州陳尊宿之風, 自號睦庵. 年及髦期, 聰明不小衰, 敎人不卷. 非至德眞慈, 孰能如是乎?

初龍釰之來也, 馬山驛吏夢, 人曰, "明日當有天使, 修曼無竭菩薩住處, 行過此." 明日果至. 以師之行己利人觀之, 是夢豈虛也哉? 其餘異跡奇夢頗多, 恐涉語恠, 故略之.

師之所著, 有『語錄』二卷・『偈頌雜著』三卷, 其所編修, 有『重編曺洞五位』二卷・『祖派圖』二卷・『大藏須知錄』三卷・『諸乘法數』七卷・『祖庭事苑』三十卷・『禪門拈頌事苑』三十卷等百餘卷, 行于世.

門人雲門寺住持大禪師淸玢, 狀師之行, 聞于上. 上令臣撰辭, 臣學識荒淺, 不足以光揚至德, 故過延數年, 請旣不已, 命亦難忤, 謹爲之序, 而銘之曰.

勝幡西振 舌覆大千 唯是法印 密付單傳
竺乾列宿 中夏五葉 世隔人同 光光相接
曹溪一派 東浸扶桑 孕生智日 我師克昌
去聖逾遠 世道交喪 不有至人 群生安仰
惟師之出 本爲利他 學窮內外 機應万差
曉了諸家 搜玄索妙 剖釋衆疑 如鏡斯照
禪林虎嘯 敎海龍吟 飇起雲合 學侶駸駸
拔陷拯淪 玄功盖代 五十年間 被人推戴
上將請益 思共元元 冊爲國尊 尊中又尊
寶藏當街 慈航當渡 窮子始歸 迷津爭赴
長星忽墮 法棟已摧 去來由己 其去何催
眞空不空 妙有非有 絶跡離名 然后可久
上命旣迫 臣無以辭 把龜毛筆 書沒字碑
劫火洞燒 山河皆燼 此碑獨存 斯文不磷
元貞元年乙未八月日.
門人沙門竹虛奉勅, 集晉右將軍王羲之書.
門人內願堂兼住持通奧眞靜太禪師淸玢立石.

고려국高麗國 화산華山 조계종曹溪宗 인각사麟角寺 가지산하迦智山下 보각국존普覺國尊의 비명碑 銘과 서序

선수 조열대부 요수 한림직학사 정헌대부 밀직사좌승지 국학대사성 문한 시강학사 충사관수찬관 지제고 지판도사사 세자우유선대부宣授 朝列太夫 遙授 翰林直學士 正獻太夫 密直司左承旨 國學太司成 文翰侍講學士 充史館修撰官 知制誥 知判圖司事 世子右諭善太夫로 자색紫色 공복과 금어대金漁袋를 하사받은[賜紫金漁袋] 신臣 민지閔漬가 칙서勅書를 받들어 짓다.

무릇 맑은 거울과 탁한 쇠는 본래 두 가지 물건이 아니고, 거센 파도와 잔잔한 물결도 모두 하나의 근원에서 나왔으니, 근본은 같지만 끝이 다른 것은 쇠를 연마하였는가 연마하지 않았는가, 물이 움직였는가 움직이지 않았는가에 달려있을 뿐이다. 여러 부처와 중생의 불성佛性 또한 이와 같아서 단지 미혹됨과 깨달음으로 구별될 뿐이니, 누가 어리석은 자와 지혜로운 자의 종자種子가 따로 있다고 말하는가? 지극히 어리석은 중생[至愚]이 크게 깨닫기를 바란다면 그 형세가 하늘과 땅이 떨어져 있음과 같지만 한번 기틀을 돌리면 문득 부처님[本覺]과 같아진다. 가섭迦葉이 은은하게 웃음 짓고 달마達磨가 서쪽에서 중국으로 온 이후 불법의 등불과 등불이 서로 이어져서 바로 지금에 이른 것은 모두 이러한 까닭이다. 그 마음을 전하고 그 정수[髓]를 깨달아 부처님의 지혜[慧日]를 서쪽[廣淵]으로 되돌려 부처님의 광명[神光]을 우리나라[秦域]에 비춘 이는 오직 우리 국존國尊 뿐이시다.

국존은 이름이 견명見明이고, 자字는 회연晦然이었으나, 후에 일연一然으로 바꾸었다. 속세의 성은 김씨이고, 경주慶州 장산군章山郡 사람이다. 아버지는 김언필金彦弼로, 벼슬하지 않았으나 국존[師]으로 인해 좌복야左僕射로 추증되었고, 어머니 이씨는 낙랑군부인樂浪郡夫人에 봉해졌다. 처음에 어머니가 해가 방으로 들어와 빛이 배를 비추는 꿈을 3일 동안 꾸고 임신하여, 태화泰和 병인년 1206 6월 신유일에 국존을 낳았다. 국존은 태어날 때부터 재주가 몹시 뛰어났고 언행과 외모가 단정하고 엄숙하였으며 콧마루가 높았고 입이 무거웠으며[方口], 소처럼 신중하게 움직이면서도 호랑이처럼 예리하게 살폈다[牛行虎視].

어려서부터 세속을 벗어나려는 뜻이 있어서 나이 겨우 9세에 해양海陽 무량사無量寺로 가서 비로소 학문에 나아갔는데 총명함이 매우 뛰어났다. 어떤 때에는 정좌[危坐]하고 밤을 지새우니 사람들이 기특하게 여겼다. 흥정興定 기묘년1219에 진전장로陳田長老 대웅大雄에게 나아가 머리를 깎고 구족계具足戒를 받았다. 이에 선원禪院을 두루 다니면서 참선하여 명성이 점점 높아져서 당시 무리들이 구산선문九山禪門 중 사선四選의 으뜸으로 추대하였다. 정해년1227 겨울에 승과僧科[選佛場]에 응시하여 상상과上上科에 올랐다. 그 후에 포산包山 보당암寶幢庵에 머물면서 마음은 참선하며 진리를 추구하는 데[禪觀] 두었다.

병신년1236 가을에 병란兵亂이 있어서 국존께서 다른 곳으로 피하고자 하여 문수보살의 5자 주문[五字呪]를 읊어서 감응하기를 바랐다. 갑자기 벽 사이에서 문수보살이 몸을 나타내어 말씀하시기를, "무주無住 북쪽에 있으라."라고 하셨다. 다음해 여름에 다시 포산[是山] 묘문암妙門庵에 거처하였는데, 암자의 북쪽에 무주라는 수행처[蘭若]가 있었다. 국존이 곧 지난번 계시를 깨닫고 이 암자에 머물렀다. 당시 항상 중생의 세계는 줄지 않고 부처님의 세계는 늘지 않는다는 말을 화두 삼아 참선하며 탐구하였다. 갑자기 어느 날 환하게 깨달음이 있어 사람들에게 일러 말하기를, "내가 오늘 삼계三界가 환몽幻夢과 같음을 알았고, 대지가 가느다란 털만큼도 거리낌이 없음을 보았다."라고 하였다. 이해에 삼중대사三重大師에 제수되었다. 병오년1246에 선사禪師를 더하였다.

기유년1249에 상국相國 정안鄭晏이 남해南海의 사제私第를 희사하여 절을 만들어 정림사定林寺라고 하고, 국존을 주지로 초청하였다. 기미년1259에 대선사大禪師를 더하였다. 중통中統 신유년1261에 조서를 받고 개경[京]으로 올라가 선월사禪月社에 주지하면서 법당을 열고 멀리 목우화상牧牛和尙, 보조국사 지눌의 법통을 이었다. 지원至元 원년1264 가을이 되어 여러 번 남쪽으로 돌아가기를 청하여 오어사吾魚社에 머물렀다. 얼마 후에 인홍사仁弘社 주지 만회萬恢가 국존에게 주지의 자리를 넘겨주었는데, 학려學侶들이 구름처럼 모여들었다. 무진년1268 여름에 왕명[朝旨]이 있어 선종과 교종의 명성과 덕망

있는 스님 100명을 모아서 운해사雲海寺에서 대장경 낙성회를 열고, 국존께 청하여 법회를 주관하게 하였다. 낮에는 불경[金文]을 읽고 밤에는 교리[宗趣]를 담론하였는데, 여러 스님들이 의문하는 것을 국존께서 모두 물 흐르듯이 명확하게 풀이하였고 정밀한 뜻이 신의 경지에 이르렀으니, 이 때문에 존경하고 복종하지 않은 이가 없었다.

국존께서 인홍사에 주지로 있은 지 11년이 되었을 때 이 사찰이 창건한 지 이미 오래되어 건물이 모두 무너지고 또 지대가 낮고 좁으니 국존께서 중건하거나 새로 지어 확장시켰다. 이에 조정에 아뢰니, 이름을 인흥仁興으로 바꾸고 어필로 제액을 내려주었다. 또 포산의 동쪽 기슭에 용천사湧泉寺를 중수하여 불일사佛日社라고 하였다. 충렬왕上께서 즉위하신 지 4년째인 정축년1277에 조서를 내려 운문사雲門寺에서 주지하게 하고, 현풍玄風을 크게 찬양하였다. 임금께서 국존을 공경하는 마음[傾注]이 날로 깊어져 시를 지어 보냈으니, "안부를 은밀히 전하니 어찌 굳이 의의차릴[攝衣] 필요가 있겠는가. 사원[金地]에서 서로 만난 것이 기이할 뿐이네. 연공璉公, 송 승려 회련懷璉을 청하여 대궐에 맞이하고자 하는데, 대사께서는 어찌 오래도록 나뭇가지에 걸린 백운만 그리워하는가."라고 하였다.

신사년1281 여름에 일본 원정[東征]으로 인하여 임금[駕]께서 경주[東都]에 행차하여 조서를 내려 국존을 행재소로 오게 하였다. [국존께서] 도착하자 소疏를 지어 자리에 오를 것을 청하니, 높이고 공경하는 [마음이] 갑절로 성겼다. 이로 인해 국존이 불일결사문佛日結社文을 가져다가 제액을 쓰고 압인하여 불일사에 보관하도록 하였다. 다음해 가을에 근시近侍 장작윤將作尹 김군金頵을 보내어 조서를 가지고 [국존을] 대궐에 맞이하도록 하였다. [국존에게] 대전에서 선禪을 강설할 것을 청하여 [설법을 듣고] 용안에 기쁨이 넘쳐났다. 유사有司에게 칙서를 내려 [국존을] 광명사廣明寺에 머물게 하였다 [국존께서] 절에 들어간 날 밤에 어떤 사람이 방장 밖에 서서, "잘 오셨습니다."라고 말하기를 세 번 하였는데, 그쪽을 바라보았으나 아무도 없었다. 겨울 12월에 임금乘輿께서 친히 방문하여 불법의 요체를 물었다.

다음해 봄에 임금께서 군신들에게 말하기를, "나의 선왕先王, 원종께서는 불교釋門의 덕이 큰 분을 모두 왕사王師로 삼았고, 덕이 더욱 큰 분을 국사國師로 삼으셨다. 과인否德에게 유독 왕사와 국사가 없으니, 옳은가? 지금 운문화상이 도가 높고 덕이 성대하여 사람들이 모두 우러러보니, 어찌 과인만 홀로 자비로운 은택을 입음이 마땅한가? 온 나라와 함께함이 마땅하다."라고 하셨다. 이에 우승지右承旨 염승익廉承益을 보내어 임금의 뜻을 받들어 국사로 추존하는 예를 행할 것을 청하였으나, 국존께서 표表를 올려 굳게 사양하셨다. 임금께서 다시 사신을 보내어 간절히 세 번 청하고 아울러 상장군上將軍 나유羅裕 등에게 명하여 국존으로 책봉하고, 호를 원경충조圓徑沖照라고 하였다. 책봉을 마치고 4월 신묘일에 [국존을] 궁궐로 맞이하여 임금께서 몸소 백관을 거느리고 구의례摳衣禮를 행하였다. 국사를 국존으로 고친 것은 원大朝의 국사라는 칭호를 피하기 위해서이다.

국존은 평소 개경京輦을 좋아하지 않았고 또 어머니가 연로하셔서 옛날에 머물던 산으로 돌아갈 것을 간청하였는데, 사임할 뜻이 매우 간절하였다. 임금께서 그 뜻을 어기기가 어려워 윤허하였다. 근시 좌랑佐郎 황수명黃守命에게 명하여 행차를 호위하게 하고 하산下山하여 어머니를 잘 모시게 하니, 조야朝野에서 드문 일이라고 감탄하였다. 다음 해에 어머니가 96세로 돌아가셨다. 이해에 조정에서 인각사麟角寺를 [국존이] 내려가 편안히 쉴 곳으로 정하고, 칙서를 내려 근시 김용검金龍劍에게 그곳을 수리하게 하고, 또 논밭 100여 경頃을 헌납하여 [국존이] 상주할 곳을 꾸미도록 했다. 국존께서 인각사에 들어가 다시 구산문도회九山門都會를 여니, 총림의 융성해짐은 근래에 있은 적이 없는 정도였다.

기축년1289 6월에 병세가 있어, 7월 7일에 손수 임금[大內]께 올릴 글을 쓰고 또 시종에게 글을 짓게 하여 상국 염공廉公, 염승익에게 보내 입적[長往]을 알리도록 하였다. 이어 여러 선승들과 함께 해가 지도록 묻고 답하였다. 이날 밤에 크기가 1척尺 둘레만한 큰 별이 방장에 떨어졌다. 다음날 을유일에 새벽 일찍 일어나 목욕하고 앉아서 여러 사람들에게 말씀하시기를, "오늘 내가 떠나려고 하는데 꺼리는 날[重日]은 아닌가?"라고 하셨다. "아닙니다."라고 대답하니, 국존께서 "그러면 되었다."라고 말씀하셨다. 승려에게 법고法鼓를 치게 하고 국존께서 선법당善法堂 앞에 이르러 선상에 걸터앉아 [국존의] 인장을 봉하고 장선별감掌選別監 김성고金成固에게 명하여 거듭 봉인을 마치게 하고는, "마침 천사天使가 으셨으니 노승老僧의 임종[末後事]을 보십시오."라고 말하였다.

한 승려가 나와서 묻기를, "부처님은 학림鶴林에서 열반에 드셨고 화상께서는 인각사[麟嶺]에서 입적[歸眞]하십니다. 서로 거리가 얼마인지 자세히 알지 못하겠습니다."라고 하였다. 국존께서 주장자拄杖子를 들었다가 한 번 내리치면서, "서로 거리가 얼마쯤 된다."라고 하였다. [승려가] 나아가, "그렇다면 지금과 옛날이 상응하여 떨어짐이 없이 분명히 눈앞에 있습니다."라고 말하였다. 국존께서 또 한 번 내리치면서, "분명한 것은 눈앞에 있느니라."라고 말씀하셨다. [승려가] 나아가, "뿔이 세 개인 기린이 바다에 들어가고 하늘에 남은 조각달이 물결 가운데 나옵니다."라고 말하였다. 국존께서, "훗날 돌아오면 그대 [上人]와 함께 거듭 한바탕 놀아보자."라고 말씀하셨다.

또 한 승려가 묻기를, "화상께서는 100년 후에 필요한 것이 있다면 어떤 것이겠습니까?"라고 하니, 국존께서, "다만 이것뿐이다."라고 말씀하셨다. [승려개] 나아가, "또 다시 군왕과 더불어 무봉탑을 조성하더라도 또 무슨 거리낌이 있겠습니까?"라고 하니, 국존께서, "어떤 곳으로 가겠는가?"라고 말씀하셨다. [승려개] 나아가, "모름지기 물음이 지나쳤습니까?"라고 물으니, 국존께서, "이 같은 일은 곧 그치게 됨을 알리라."라고 말씀하셨다. 또 한 승려가, "화상께서 세상에 계시는 동안 세상에 없는 것 같이 하셨고 육신을 보기를 육신이 없는 듯이 하셨으니, 세상에 살면서 큰 법의 수레바퀴를 굴리심에 무슨 방해가 있었겠습니까?"라고 물으니, 국존께서, "처한 [상황에] 따라 부처님의 일을 하였다."라고 말씀하셨다.

문답이 끝나고 스님께서, "여러 선덕禪德은 날마다 이것에 답하라. 아프고 가려운지, 아프고 가렵지 않은지 모호하여 분별하지 못한다."라고 말씀하셨다. 이에 주장자를 잡고 한번 내리치시며, "이것은 아픈가?"라고 하시고, 또 한 번 내리치시며, "이것은 아픈가?"라고 하시고, 다시 한 번 내리치시며, "이것은 아프지 않은가?"라고 하시고, 한 번 내리치지 않으시며, "이것은 아픈 것인지, 아프지 않은 것인지 살펴보아야 할 것이다."라고 하시고는 곧 자리에서 내려와 방장으로 돌아갔다. 또 작은 선상禪床에 앉아 말과 웃음이 태연자약하였다. 잠시 후에 손으로 금강인金剛印을 맺고 고요히 입적하셨다. 오색 광채가 방장 뒤에서 일어났으니, 곧기가 당간과 같고 그 끝이 빛남이 불꽃과 같았으며, 위에는 흰 구름이 일산처럼 있었는데 하늘을 향해 뻗어있었다. 이때 가을 더위가 기승을 부렸는데 얼굴은 곱고 희었고 지체支體는 윤택하였으며 [몸을] 굽히고 폄이 살아있을 때와 같았다. 멀고 가까운데서 참관하러 온 사람이 담장이 늘어선 듯하였다.

정해일에 다비하고[闍維] 사리[靈骨]를 수습하여 선실[禪室] 안에 안치하였다. 문인이 국존께서 남긴 글과 인장을 가지고 역마를 타고 가서 [국존의 입적을] 왕께 아뢰었다. 왕께서 놀라고 슬퍼하시며 판관후서사[判觀候署事]를 보내 엄숙하게 장례의 예를 거행하도록 했다. 또 안렴사[按廉使]에게 명하여 상례를 감호하게 하였다. 아울러 제서[制書]를 내려 시호를 보각[普覺], 탑호를 정조[靜照]라고 하였다. 10일 신유일에 사찰의 동쪽 언덕에 탑을 세웠다. [국존의] 나이는 84세, 법랍[法臘]은 71세였다.

국존은 사람됨이 말할 때에는 실없는 농담이 없고 성격은 꾸밈이 없어 진정으로 만물을 대하였으며. 대중과 함께 있으나 홀로 있는 것처럼 하였고 높은 자리에 거하면서도 낮은 자리에 있는 듯이 하였다. 배움에 있어서는 스승의 가르침에 말미암지 않고 스스로 통달하였다. 이미 도를 깨닫고도 평온히 성실하였고 막힘없는 언변을 갖추었다. 옛 성인들이 주고받은 어구[機緣語句]와 얽히고설키어 풀기 어려운 일[盤根錯節]과, 물결이 소용돌이치고 험한 파도 같은 일을 긁어내고 도려내어 소통하고 거울처럼 드러내니 시원스럽게 일을 처리함에 여유가 있었다.

또 참선하는 기쁨을 누리는 여가에 거듭 대장경을 읽고 여러 대가의 주석을 깊이 연구하였으며 유학의 서적을 두루 읽고 백가[百家]를 섭렵하여서 사방에 만물을 이롭게 하고 기묘한 방편이 자유자재하였다. 무릇 50년 동안 불가[法道]에서 우두머리로 불렸고, 주지로 있는 곳을 따라 모두 다투어 우러러 보고 사모하였으며 오직 [국존의] 당하[堂下]에 참여하지 못한 것을 부끄러워하였다. 비록 뛰어나다고 자부하는 자도 국존이 남긴 아름다운 법문[遺芳餘聞]을 들으면 모두 심취하여 망연자실하지 않는 이가 없었다. 어머니를 봉양함에 지극히 효성스러웠으며, [당나라의] 목주[睦州] 진존숙[陳尊宿] [스님의] 풍모를 흠모하여 스스로

호를 목암牧庵이라고 하였다. 나이 80세를 넘어서도 총명함이 조금도 쇠하지 않았고 사람 가르치기를 게을리 하지 않으셨다. 지극한 덕과 진실한 자비가 아니고서야 누가 이와 같이 할 수 있겠는가?

처음에 김용검이 올 때에 마산역리馬山驛吏의 꿈에 어떤 사람이 말하기를, "내일 임금의 사신이 담무갈보살曇無竭菩薩이 살 곳을 수리하기 위해 이곳을 지날 것이다."라고 하였다. 다음날 과연 [김용검이] 이르렀다. 국존의 자신을 행하여 남을 이롭게 함을 살펴보니, 이 꿈이 어찌 헛된 것이겠는가? 그 나머지 특이한 행적과 기이한 꿈이 매우 많지만 말이 괴이한 데 이를까봐 두려워서 생략한다.

국존께서 저술한 것으로는 『어록語錄』 2권 · 『게송잡저偈頌雜著』 3권이 있고, 편수한 것으로는 『중편조동오위重編曹洞五位』 2권 · 『조파도祖派圖』 2권 · 『대장수지록大藏須知錄』 3권 · 『제승법수諸乘法數』 7권 · 『조정사원祖庭事苑』 30권 · 『선문염송사원禪門拈頌事苑』 30권 등 100여 권이 세상에 전한다.

문인 운문사雲門寺 주지 대선사大禪師 청분淸玢이 국존의 행적을 적어서 임금께 아뢰었다. 임금께서 나[臣, 민지]에게 글을 짓도록 명하셨는데, 내가 학식이 거칠고 얕아 [국존의] 지극한 덕을 빛내고 드러내기에는 부족하여서 몇 년을 미루다가 [제자들의] 간청이 끊이지 않고 임금의 명령을 거역하기 어려워서 삼가 서序를 짓고 [다음과 같이] 명銘하여 이른다.

서천에서 깃발을 높이 세우고 광장설廣長舌로 삼천대천三千大千 덮었네
오직 이 법인法印이여, 비밀스럽게 부탁하고 외로이 전하는구나
축건竺乾의 무수한 별과 중국의 다섯 조사祖師[五葉]여

세대는 달라도 사람은 같아 불법의 빛 서로 이었구나
조계(曹溪)의 한 종파가 동쪽 우리나라(扶桑)를 적셨네
지혜로운 해를 잉태하여 탄생시키니 우리 국존께서 매우 창성하시도다
성인과의 거리는 더욱 멀어져 세상의 도는 서로 잃었구나
성인(至人)이 계시지 않으면 많은 중생은 어디를 우러르리오
오직 국존께서 나신 것은 본래 다른 사람 이롭게 함이었네
학문은 내교(內敎)와 외교(外敎)를 궁구했고 만 가지 방편으로 응하셨구나
여러 대가에 통달하여 현묘한 이치 찾으셨네
많은 의문 쪼개어 풀어나시니 맑은 거울에 비추는 것 같구나
선종(禪林)에서는 호랑이의 포효 같고 교종(敎海)에서는 용의 읊조림 같네
회오리바람 일어나 구름이 모여들듯 학승(學僧)들이 점점 모여들었구나
고통에 빠진 중생 건져내시니 큰 공이 세상을 덮었네
오십년 동안 사람들의 추대를 받았도다
임금께서 유익함 청하시니 생각은 모든 백성(元元)과 같이 있었네
국존으로 책봉하시니 높은 가운데 더욱 높구나
보배 창고가 거리에 임하였고 자비로운 배가 나루에 임하였네
궁한 자식이 비로소 돌아오고 길 잃은 이 다투어 찾아왔구나
큰 별이 홀연히 떨어지고 법당이 이미 무너졌네
오고 감이 자신으로 말미암으니 그 가는 길 어찌하여 재촉하는가
진공(眞空)은 공(空)이 아니고 묘유(妙有)는 유(有)가 아니다
자취 끊기고 이름을 떠난 후에야 영원할 수 있네
임금의 명령 다급하고 내가 사양하지 못하여
거친 손에 붓 잡고 글자 없는 비碑를 쓰노라
겁화(劫火)가 대지를 태워 산하(山河)가 모두 재가 될지라도
이 비만 홀로 남아 이 글도 닳지 말지어다

원정元貞 원년1295 을미년 8월 일.

문인 사문沙門 죽허竹虛가 칙명을 받들어 진晉 우장군右將軍 왕희지王羲之 글씨를 집자集字하다

문인 내원당內願堂 겸주지 통오진정대선사通奧眞靜太禪師 청분이 비석을 세우다.

출전: 국사편찬위원회 한국사데이터베이스 https://db.history.go.kr

# 제3장 불은佛恩의 묘법해妙法海, 은해사銀海寺로 자리잡다

## 1. 왕실은 불은佛恩에 가피를 구하고 : 인종 태실을 품고 공산본사公山本寺가 되다

### 1) 『중종실록中宗實錄』 권 제30 중종 12년 11월 23일 을미 조
: 유용근 등이 혼인의 풍속·증고사의 일에 관해 아뢰다

 光弼曰: "如元子胎封, 不可不擇, 以此其弊因循, 已久矣. 且必於無家舍, 無田地處占之, 則民亦無冤. 且於京畿, 無可擇之地, 然後遣地理官於下三道, 與監司同巡擇之, 亦非所以輕之也."

정광필이 아뢰기를, "원자元子의 태봉胎封922은 가리지 않을 수 없겠으나, 이 때문에 그 폐단이 그대로 계속되어 온 지 이미 오래되었습니다. 또 반드시 집도 없고 전지도 없는 곳에 터를 잡는다면 백성에게도 억울한 일이 없을 것입니다. 또 경기京畿에서 가릴 만한 곳이 없으면 하삼도에 지리관地理官을 보내어 감사와 함께 돌면서 가리게 하는 것도 경솔히 하는 방법은 아닐 것입니다."

출전: 국사편찬위원회 한국사데이터베이스 https://db.history.go.kr

## 2) 『세종실록世宗實錄』 권 제74 세종 18년 8월 8일 신미 조
: 음양학을 하는 정앙의 글에 따라 사왕의 태를 길지에 묻게 하다

陰陽學鄭秧上書曰:
唐 一行所撰《六安胎》之法, 有曰: "人生之始, 因胎而長, 況其賢愚盛衰, 皆在於胎者乎! 是故男子十五年而藏胎, 皆待其志學遵嫁之年也. 男值好地, 聰明好學, 官高無疾; 女值好地, 嬋姸端正, 得人欽仰. 惟藏不過度, 乃獲徵祥. 其好地, 皆端正突起, 上接雲霄爲吉地." 又觀王岳之書: "待滿三月, 選高靜處埋之, 可以長壽有智." 以此觀之, 嗣王之胎, 俟其卽位而安之, 有戾於古人安胎之法. 乞依一行, 王岳藏胎之法, 擇吉地以安之, 預養壽福.
下風水學議之, 皆以上書爲當, 命來秋更啓.

음양학陰陽學을 하는 정앙鄭秧이 글을 올리기를, "당唐나라 일행一行이 저술著述한 『육안태六安胎』의 법에 말하기를, '사람이 나는 시초에는 태胎로 인하여 자라게 되는 것이며, 더욱이 그 어질고 어리석음과 성하고 쇠함이 모두 태胎에 관계 있다. 이런 까닭으로, 남자는 15세에 태를 간수하게 되나니, 이는 학문에 뜻을 두고 혼가婚嫁할 나이가 되기를 기다리는 것이다. 남자의 태가 좋은 땅을 만나면 총명하여 학문을 좋아하고, 벼슬이 높으며, 병이 없을 것이요, 여자의 태가 좋은 땅을 만나면 얼굴이 예쁘고 단정하여 남에게 흠앙欽仰을 받게 되는데, 다만 태를 간수함에는 묻는 데 도수度數를 지나치지 않아야만 좋은 상서祥瑞를 얻게 된다. 그 좋은 땅이란 것은 땅이 반듯하고 웃뚝 솟아 위로 공중을 받치는 듯 하여야만 길지吉地가 된다.'라고 하였으며, 또 왕악王岳의 책을 보건대, '만 3개월을 기다려 높고 고요한 곳을 가려서 태를 묻으면 수명이 길고 지혜가 있다.' 하였으니, 사왕嗣王의 태는 그가 왕위에 오름을 기다려 이를 편안하게 하는 것은 옛날 사람의 안태하는 법에 어긋남이 있으니, 원컨대, 일행과 왕악王岳의 태를 간수하는 법에 의거하여 길지吉地를 가려서 이를 잘 묻어 미리 수

壽와 복을 기르게 하소서."하였다. 풍수학風水學에 내리어 이를 의논하게 하니, 모두 상서上書한 것이 적당하다고 하므로, 명하여 내년 가을에 다시 아뢰라고 하였다.

출전: 국사편찬위원회 한국사데이터베이스 https://db.history.go.kr

## 2. 해안海眼의 뜻을 이어받아 은해銀海로 나아가다

### 1)「은해사연혁변銀海寺沿革辨」 1879년年, 고종16

聖上十三年丙子 余宰永川郡 郡西有八公山 崒然盤踞九邑. 正幹東 有仁宗胎室 麓下數里有寺
曰銀海 卽胎室守奉處也. 屬庵十二 距郡三十里, 規度亞於通度·海印 而其環麗若新. 門額之銀海寺 佛堂之大雄殿 鍾閣之寶華樓 皆秋史金侍郞筆, 爐殿曰 一爐香閣 亦秋史隷也. 余曰 此非舊建也 建何歲 老釋曰 憲廟丁未全寺回祿 而重建矣. 有古蹟乎. 釋進宗親府堂上古關文 卽我英宗大王潛龍時敎飭守護 而押與印 尙煌煌矣. 余曰 敬藏之. 問其沿革 而始建於胎室奉安後 其前無徵. 又問 奚以銀海名 曰亦不詳矣. 余歎曰 惟我仁宗誕于正德乙亥歲 今六回有一歲矣. 名蘭往蹟之無憽見於郡誌野史何哉 越己卯夏 余秉綏新寧 見邑誌有梨旨銀所 高麗末 陞爲縣 仍屬永川. 繼有崔瀣碑文 略曰 至元元年 上護軍安子由等 朝京師還 以天后命 復梨旨爲縣名 若曰 永川梨旨銀所 古爲縣 中以邑子違國命 廢而籍民 稅白金 稱銀所者久. 今其土人那壽·也先不花 幼窨禁中 積給使勞 以其功 陞鄕貫 復爲縣. 王敎有司 行之如中旨. 明年 那壽奉使東還 以故處卑狹 從縣于古所若干步 置縣司長吏若初. 又五年 也先不花 函香繼至 謂興復遷徙顚末 不可無述 謁王請記于碑. 那壽官奉議大夫甄用太監, 也先不花官

은해사 I 자료모음 79

中議大夫中瑞司承 姓皆李氏. 本國又封那壽信安君, 也先不花永利君. 此在所略. 盖其曰梨旨縣者 卽公山之下 而介於永靈地矣. 土人曰 高麗太祖 敗於甄萱 來保于此 食梨而佳之 故曰梨旨云. 此與郡誌所云 太祖旨在郡西三十里 高麗太祖 爲甄萱所敗 退保公山下一小峯 因名爲 太祖旨者 相近矣. 其曰在縣南二十五里者 以縣之西南公山也 東南川流之限永川也 特其正南爲梨旨故也. 而今銀海等地 卽寧之正南也 則銀海之住於梨旨銀所之境也 昭昭矣. 然而銀海於寧 可二十里 或疑其五里之舛差, 而凡道里之載於誌者 皆至坊曲終境而量之也. 自寧量抵今之銀海 則爲二十里 量至古之梨旨終境 則爲二十五里 理勢固有然者矣. 其曰本永川梨旨銀所者 言其梨旨之降縣爲銀所者 本是永而後屬寧也. 其曰高麗末 陞爲縣 仍屬永川者 言麗王之奉中旨 復梨旨爲縣 還屬于永 而以至元年號攷之 則 事在麗忠肅王二十二年, 盖縣之復實那壽·也先不花之功也. 而勒碑紀其實也崔瀣 麗朝文章人, 而碑文中 此在所略云者 與其銀所之誌略其事 而際碑有所據也. 梨旨之旣復 而不曰縣 誌曰所略者 重其沿革而襲舊也. 但所略 今無傳焉, 寧邑誌曰 碑石今無 幷可歎也. 然而初無是碑是誌 則銀所之降 梨旨之復 梨旨銀所之屬寧 而還屬永 實無以稽, 今日銀之建 在於古之梨旨銀所 尤無以訂之矣. 銀海銀 以其銀所之同符於佛家銀地而取之歟. 銀海之海 亦有取於先明海·盤若海·淸淨海·妙法海之海歟. 嗟呼 梨旨之復 在於至元乙亥 胎室之奉 在於正德乙亥, 地靈之古干支之叶 有若造物相感者, 而至元後五百四十年之間 沿革之明證 是寺之名義 不與山訛水幻 而十無一二疑也. 余與是話於僧僧皆叉手而拜曰 是可作山中檮杌, 余且念此事不辨 終遺後人之惑 遂著之爲說.

歲己卯仲夏 知郡 李鶴來 靑田 稿幷書

성상聖上께서 즉위하신 지 13년이 되던 병자년丙子年1876에 나는 영천군永川郡을 다스리고 있었다. 군郡의 서쪽에는 팔공산八公山이 아홉 개의 읍邑에 걸쳐 뿌리를 내리고 우뚝 솟아있었다. 이 산 중심 줄기의 동쪽에 인종仁宗의 태실胎室이 있었고, 그 산자락 아래 몇 리 지점에 있는 절이 은해사銀海寺로, 이곳이 바로 태실을 지키고 받드는 곳이었다. 소속 암자가 12곳이며 군에서 30리里 떨어져 있는 이 절은 그 규모와 제도가 통도사通度寺나 해인사海印寺에 버금가면서도 그 미려함은 마치 새로 지은 듯했다. 문에 걸린 '은해사銀海寺', 불당佛堂의 '대웅전大雄殿' 그리고 종각鐘閣의 '보화루寶華樓'라는 편액扁額들은 모두 추사秋史 김시랑金侍郎김정희金正喜의 필적이었으며, 노전爐殿의 '일로향각一爐香閣' 편액 역시 추사의 예서 글씨였다.

내가 "이곳은 오래된 것 같지 않군요. 언제 지은 건가요?"라고 했더니, 나이든 노스님이 "헌묘憲廟[헌종憲宗] 정미년丁未年1847에 온 절이 불타버려 중건한 것입니다."하여 "고적古蹟이 있습니까?" 했더니, 스님이 종친부宗親府의 당상堂上이 발급한 오라된 관문關文을 보여주었는데, 바로 우리 영종대왕英宗大王[영조英祖]께서 왕자 시절에 [이 절의] 수호를 신칙申飭하신 문서로, 화압花押[수결手決]과 인장印章이 아직도 휘황했다. 내가 "공경히 간직하십시오."라고 말하고, 절의 연혁沿革을 물었더니 태실 봉안 이후에 처음 지어졌으며 그 이전의 일들은 [상고할 만한] 근거가 없다고 했다. 내가 또 어째서 '은해銀海'라고 이름을 지었냐고 물었더니, 역시 "잘 모르겠습니다."라고 했다. 내가 '우리 인종께서 정덕正德 을해년乙亥年1515에 탄생하셨으니, 이제 361년이 되었다. 이름난 절의 지난 자취를 군지郡誌나 야사野史에서 대강이라도 볼 수 없음은 무슨 까닭인가!'라고 탄식했었다. 기묘년己卯年1879 여름 내가 신녕현新寧縣의 현감縣監을 겸직하게 되었다. 그곳의 읍지邑誌를 보니, 이지은소梨旨銀所가 고려 말 현縣으로 승격되면서 영천에 소속되었다는 내용이 있었다. 이어서 최해崔瀣1287~1340가 지은 비문이 실려있었는데, 내용을 요약하면 이러했다.

지원至元 원년元年1355 상호군上護軍 안자유安子由 등이 원元의 수도인 연경燕京에서 돌아와 천후天后[원의 황후]께서 이지를 현으로 회복시키라고 하였다며 복명復命하기를, "영천의 이지은소는 옛날에는 현이었으나 중간에 고을 사람이

나라의 명을 어겼다 하여 현을 폐하고 백성들의 자산을 몰수한 뒤 백금白金[은]을 세금으로 부과하여 은소銀所로 불린 지가 오래되었다. 지금 그 고장 출신인 나수那壽와 야선불화也先不花는 어려서부터 궁궐에서 환관으로 있으면서 심부름하는 노고를 많이 쌓았으니, 그 공로에 따라 그들의 고향을 승격시켜 현으로 복구하라." 하였다. 왕께서는 유사有司담당 관청 혹은 관원에게 명하여 중국의 뜻대로 시행하라 하였다. 이듬해 나수가 사명使命을 받들고 우리나라에 와서 고향의 옛터가 낮고 비좁다 하여, 현을 옛 자리에서 얼마 떨어지지 않은 곳으로 옮기고 예전처럼 현사縣司와 장리長吏를 두도록 하였다. 또한, 5년 후에는 뒤를 이어 야선불화가 황제의 명을 받들고 와서, 현으로 회복된 일이나 현을 옮긴 일의 전말顚末을 기록하지 않을 수 없다 하여 왕을 뵙고 비문으로 기록해 줄 것을 청하였다. 나수는 벼슬이 봉의대부奉議大夫 견용태감甄用太監이었고, 야선불화는 벼슬이 중의대부中議大夫 중서사승中瑞司丞이었으며, 성姓은 모두 이씨李氏였다. 본국本國고려에서도 나수를 신안군信安君에, 야선불화를 영리군永利君에 봉하였다. 이하 생략[此在所略]

 그 신녕읍지에서 말하는 이지현이라는 곳은 팔공산 아래의 영천과 ○○ 사이의 지역이다. 그곳 토박이들은 "고려 태조가 견훤에게 패한 뒤 이곳으로 와 머물면서 배[梨]를 먹어보고 맛이 좋다[旨]고 하였으므로 '이지梨旨'라고 부르게 되었다."라고 말한다. 이것과 군지郡誌에서 "태조지太祖旨는 군의 서쪽 30리에 있으니, 고려 태조가 견훤에게 패하여 팔공산 아래 한 작은 봉우리로 후퇴하여 머물렀으므로 그곳의 이름이 태조지가 되었다."라고 하는 것은 서로 비슷하다.
 그 신녕읍지에서 "현의 남쪽 25리에 있다."라고 말한 까닭은, 현의 서남쪽은 팔공산이고 동남쪽의 시냇물 너머는 영천이며, 정확히 그 정남쪽이 이지가 되기 때문이다. 그런데 지금 은해사 등이 있는 지역이 바로 신녕의

정남쪽이므로, 은해사가 이지은소의 경계 안에 있었음은 명백하다. 다만 은해사는 신녕에서 20리가량 되어서 간혹 5리의 차이를 의심하기도 하는데, 무릇 지지地誌에 실린 길의 거리는 모두 그 지역이 끝나는 경계까지로 계산하는 것이므로, 신녕에서 지금의 은해사까지의 거리가 20리가 되고, 옛 이지의 끝 경계까지의 거리가 25리가 되는 것은 그 이치가 본래 그러한 것이다.

그 신녕읍지에서 "본래 영천의 이지은소이다."라고 말한 것은 이지가 강등되어 현에서 은소로 된 사실을 말한 것으로, [이지은소는] 원래 영천에 속하였다가 뒷날 신녕에 소속되었던 것이다. 그 신녕읍지에서 "고려 말 현으로 승격되어 영천에 소속되었다."라고 말한 것은 고려 국왕이 중국의 뜻을 받들어 이지를 현으로 회복시켜 다시 영천에 소속토록 한 사실을 말한 것으로, '지원至元'이란 연호로 고찰해 보면 그런 사실은 고려 충숙왕忠肅王 22년1335에 있었으니, 현으로 회복된 것은 실로 나수와 야선불화의 공로였다.

그러한 사실을 비문碑文에 썼던 고려시대의 문장가 최해가 비문에서 "여기에서는 생략한다此在所略."라고 한 것은 은소라고만 기록하고 그 사실을 생략함으로써 비문에 근거가 있음을 보인 것이다. 이지가 이미 [현으로] 회복되었는데도 '현縣'이라고 칼하지 않고 '생략所略'이라고 기록한 것은 그 연혁을 존중하면서도 옛 사실을 답습한 것이다.

다만 생략된 부분이 지금은 전해지지 않고, 신녕읍지에서도 "비석이 지금은 없다."라고 언급하고 있으니, 두 가지 모두 안타까울 따름이다. 그렇지만 애초에 이 비와 이 읍지가 없었다면 은소로 강등되었던 이지의 재승격, 이지은소가 신녕에 속했다가 다시 영천에 소속된 사실들을 실로 상고할 수 없었을 것이며, 오늘날의 은해사가 옛 이지은소에 건립되었음은 더욱 바로 잡을 수 없었을 것이다. '은해銀海'라는 말의 '은銀'은 은소銀所가 불가佛家에서 말하는 '은지銀地'와 잘 부합하기 때문에 그 뜻을 취한 것인가. '은해銀海'라는 말의 '해海' 역시 [불가에서 말하는] '선명해先明海·반야해般若海·청정해淸淨海·묘법해妙法海'의 그 '海해'를 취한 것인가.

아, 이지의 회복재승격은 지원 을해년에 있었고 태실의 봉안은 정덕 을해년에 있었으니, 땅의 오랜 신령함[地靈之古]과 간지干支의 서로 들어맞음[干支之叶]이 마치 천지자연과 서로 감응한 듯 해서, 지원 연간 이후 지난 540년 동안의 연혁이 분명히 입증되는 점이나 이 절 이름의 의미가 산 이름이 바뀌고 물 이름이 변하는 것과는 달리 열에 하나, 둘도 의심스럽지 않다. 내가 이런 이야기를 스님들에게 들려주었더니, 스님들은 모두 손을 모으고 절을 하며 말하길 "이런 사실은 산중의 역사[檮杌]가 될 만합니다."라고 하였다. 또한, 이 일을 분별해 두지 않으면 끝내 뒷사람들의 의혹으로 남게 될 것을 염려하여 내가 마침내 글로 적어두는 바이다.

기묘년己卯年1879 5월 지군知郡군수 청전靑田 이학래李鶴來

글을 짓고 아울러 글씨를 쓰다.

출처 : 은해사 성보박물관

## 2) 「이탄지 묘지명李坦之墓誌銘」 1152년, 의종6

故登仕郎檢校大醫少監李君諱坦之, 世爲益陽人. 少習蕭相法律, 比壯頗曉醫藥會. 中國名醫官, 隨商舶至東土, 主上下制簡擇名家子往習其術. 公亦預其選, 而深得其妙焉. 越著雍困敦歲, 適有北狄來侵境土. 君考延厚以裨將轉戰却敵, 入據雄州. 城孤援絶爲敵所圍, 歷二歲, 堅守未降. 道路否隔, 無一介使來往其間者. 公在京師, 聞父被圍, 贏粮涉道, 抵定州鎭. 見同包長, 迫問父之安否. 兄曰, "近有反間來言, 天親染患幾亡者, 數日矣. 吾欲往觀, 恐被豺狼之害, 稽留至此." 公聞語卽別, 步夏元興鎭, 借乘轉輪舡, 與百許人放榜循花島. 戴星, 至泊邦頭浦下, 舡入雄州城南門, 見諸將問父所. 尋詣幕次. 父尙病篤臥床. 見吾入拜泣, 下交頤曰, "汝之二兄二甥, 近在定州, 股戰蒲伏. 猶未得來一觀. 不意, 子季子子孤身, 披荊棘歷虎穴, 而得來覲我." 俄而謂曰, "吾生虜於 狄人, 則未免踏藉之役. 沒入於此地, 則便作他鄕之鬼. 今幸子來 雖白骨得還 南國, 今夕雖死無所恨矣." 經宿大漸, 乃損館于幕次. 以狀告行營都統, 都統 辦喪具以助之, 亦使軍卒移喪于城門外高爽地依桑門荼毗之禮. 涉七日, 拾骸 安函, 背負將還. 追勁敵蟻附攻陷其城. 乘勝突戰, 無有遁逃之地. 抽身亡走, 遁江涯至桃林浦, 泣血誓天, 得還京國. 乃安葬于京城北. 年至三十有五, 擢 第. 睿宗朝, 及賊臣趙匡等興兵西域與上橫行. 乃命將出征. 公以藥員備行, 攻 陷賊陣, 終不言功. 浮沈下位, 推天假命無有怨. 尤居常從容, 與子弟曰, "吾桑 梓鄕, 有寺名曰'銀海', 地位淸曠囂, 埃所不及. 吾欲忘世榮, 歸老其間." 至皇 統九年屠維大荒落, 被朝旨, 出赴岱州. 宜佐居無何, 因病投劾, 果得至銀海寺. 淸心辦供, 設▨▨齋, 炷香禮佛玉毫. 次飯緇黃訖, 退宴坐於賓寮, 誦千手眞言 竟夕, 兀然而化. 公享年六十有七, 實大金天德四年玄黙涒灘歲余月也. 其子 鸞, 泣請於其友曰, "鸞不肖, 早有虞丘子之歎, 不得致養生前. 庶托文字以傳 先人不朽之節, 又不敢以自私." 予乃爲之銘曰. 惟孝而知敬, 以行其義, 惟淡 而無欲, 以守其常. 身雖孤立兮, 志則彊, 心在寧親兮, 輕死亡. 善不必壽兮, 奄以藏. 安時處順兮, 歸何傷.

돌아가신 등사랑 검교대의소감登仕郎 檢校大醫少監 이군李君은 이름이 이탄지李 坦之이고, 대대로 익양益陽 사람이었다.

어려서 전한前漢 소하蕭相의 법률을 익혔고, 자라서는 의약醫藥에 상당히 밝 았다. 중국의 이름난 의관醫官이 상선商舶을 따라 동쪽 땅으로 왔는데, 주상主 上이 제서를 내려 명가名家의 자제를 선발하여 의관에게 가서 그 의술을 익히라 고 하였다. 공도 그 선발에 포함되어 그 신묘함을 깊이 얻었다.

무자년[著雍困敦]예종 3년, 1108에 때마침 북쪽 오랑캐[北狄]가 국경을 침입한 일 이 있었다. 군의 아버지 이연후李延厚가 비장裨將으로 전쟁에 나가 적을 물리치 고, 웅주雄州에 들어와 굳게 지켰다. 성이 고립되고 도움은 끊어져 적들에게 포위당하였으나 2년이 지나도록 굳게 지키며 항복하지 않았다. 도로가 막혀서 그 사이를 오가는 사신이 한 명도 없었다.

공은 경사京師에 있으면서 아버지가 포위되었다는 것을 듣고 식량을 싸 들고 길을 건너 정주진定州鎭에 이르렀다. 큰형을 만나 급히 아버지의 안부를 물어보았다. 형이 말하기를, "최근에 간첩[反間]에게 말을 들은 것이 있는데, 아버지[天親]가 병이 들어 거의 돌아가시려고 한 지가 며칠이 되었다고 한다. 내가 가서 뵈려고 했으나 승냥이와 이리 같은 놈들의 해를 입을까 두려워 지금까지 머뭇거리고 있다."라고 하였다.

공이 이 말을 듣자 바로 형과 헤어지고 원흥진元興鎭으로 가서 수송선[轉輸舡]을 빌려서 타고 백여 명과 함께 노를 저어 화도花島를 돌았다. 늦은 밤[戴星] 방두포邦頭浦 아래에 정박하였다. 배가 웅주성 남문南門으로 들어가자 여러 장수를 만나 아버지가 계신 곳을 물어보았다. 이윽고 아버지가 계신 막사[幕次]에 도착하였다. 아버지는 아직 병이 위독하여 침상에 누워있었다. 내가 들어와 절하며 눈물을 흘리는 것을 보자 아버지도 눈물을 흘리며 말하기를, "너의 두 형과 두 조카는 정주定州에 가까이 있으면서도 벌벌 떨며 바짝 엎드려 있느라 아직도 한 번 와보지를 않았다. 생각지도 않게 우리 막내가 혈혈단신으로 가시덤불을 헤치고 호랑이 굴을 지나가며 나를 보러 와 주었구나."라고 하였다. 잠시 후에 말하기를, "내가 오랑캐[狄人]에게 사로잡힌다면 이곳저곳 다니며 노역하는 일[踏茸之役]을 면치 못할 것이다. 또 이러한 경지에 빠지면 곧 타향의 귀신이 되리라. 지금 다행히도 네가 왔으니, 비록 백골이더라도 남쪽 나라로 가져가 준다면 오늘 저녁에 죽더라도 한이 없겠구나."라고 하였다. 밤을 지나며 병세가 심해지더니 결국 막사에서 돌아가셨다[損館].

문서를 올려 행영도통行營都統에게 보고하니, 행영도통이 상구喪具를 갖추어 장례를 도와주게 하고, 또한 군졸들로 하여금 성문 바깥의 높고 시원한 땅으로 옮겨 불교[桑門]의 다비茶毗의 예에 의거하여 상을 치르게 했다. 7일이 지나자 유골을 수습하여 함에 넣고, 이를 등에 지고 돌아오려 하였다. 그러나 강한 적이 개미 떼처럼 달라붙어[蟻附] 그 성을 공격하여 함락시키기에 이르렀다. 적이 승세를 타고 돌진하여 싸우니 도망칠 곳이 없었다. 공은 몸을 빼내어 도망쳐서 강가를 따라 도림포桃林浦에 이르렀으며, 피눈물을 흘리며 하늘에 맹세하며 서울[京國]로 돌아올 수 있었다. 이에 유골을 경성京城 북쪽에 안장하였다.

  공은 나이 35세에 이르러 과거에 급제하였다. 예종대에 적신賊臣 조광趙匡 등이 서쪽 지역에서 병사를 일으켜 임금에게 간여하며 제멋대로 하는 데 이르렀다. 이에 임금이 장수에게 명하여 나가서 정벌하게 하였다. 공은 약원藥員으로서 채비하고 따라가서 조 진賊陣을 공격하여 무너뜨렸으나 끝내 공功을 말하지 않았다. 공은 낮은 관직에서 부침浮沈하면서도 하늘을 받들고 명을 아름답게 여겨 원망함이 없었다. 특히 평소에는 조용히 거처하며 자제子弟들과 말하기를, "우리 고향[桑梓鄕]에는 '은해銀海'라는 이름의 절이 있는데, 위치가 수려하고 탁 트여 한적하니 티끌이 미칠 수 없다. 나는 세상의 영화를 잊고 그 사이에 돌아가 늙고 싶구나."라고 하였다.

  황통皇統 9년 기사[屠維大荒落]의종 3년, 1149에 이르러 조정의 뜻[朝旨]를 받아 나가서 대주岱州로 부임하였다. 재임[佐居]하면서는 거의 별일이 없었으나, 병으로 인하여 탄핵당했으니 마침내 은해사로 올 수 있었다. 맑은 마음으로 공양을 갖추어 ▨▨재▨齋를 설치하고 향을 피워 부처님[玉毫]께 예불禮佛드렸다. 다음으로 승려[緇黃]들에게 공양하기를 마친 후, 물러나 손님방에 편안히 앉아서 밤새도록 「천수진언千手眞言」을 외우다가 미동 없이 돌아가셨다. 공은 향년 67세였으니, 바로 금[大金] 천덕天德 4년 임신[玄黓涒灘]의종 6년, 1152 4월[余月]이다. 그의 아들 이란李鸞이 울면서 벗에게 청하여 말하기를, "내가 불초하여 우구자虞丘子의 한탄이 있었으나, 생전에 봉양을 다하지 못하였습니다. 바라건대 문자에 의탁하여 선인先人의 썩지 않는 절개를 전하고자 하나, 또한 감히 스스로 사사롭게 할 수가 없습니다."라고 하였다.

나는 이에 그를 위하여 명銘하여 이른다.

효성스러우며 공경을 알아서 그 의로움을 행하였고,

담백하면서 욕심이 없어 그 떳떳함을 지켰도다.

몸은 비록 홀로 서 있으나, 뜻은 강건하고

마음은 부모를 편안히 하는 데 있었으니, 죽음을 가벼이 여겼네.

선하다고 하여 반드시 장수하는 것은 아니니, 문득 모습을 숨기셨네.

죽을 때를 편안히 여기고 죽은 후 순한 곳에 거처하니,

돌아감에 무엇이 슬프리오.

번역자: 현수진 | 출처: e뮤지엄

## 3. 은해사, 왕실 수호로 재부흥을 이루다

### 1) 『명종실록明宗實錄』 권 제10 명종 5년 9월 5일 을미 조
: 조강에 나아가니 심연원이 원각사 위전에 관한 일에 대해 아뢰다

上御朝講. 領經筵事沈連源曰: "聞洪州地圓覺寺位田一百五十餘結, 以漏落陳告, 移文成册, 將爲屬公. 寺社位田, 有永給處, 亦有以民田, 只收其稅處. 若以收稅之民田, 謂其寺社之永屬, 奪給於內需司, 至爲不可. 圓覺之革罷, 今已久矣, 有高曾相傳之文券, 則豈是永屬之田乎? 凡寺社之田, 戶曹盡爲刷出而詳錄, 豈洪州位田, 獨爲漏落乎? 民之貧窮, 莫甚於此時, 而一畝之田, 有關於民命, 令該曹備細相考, 使無怨憫." 傳于政院曰: "圓覺寺位田事, 左相啓於經筵. 其本官成册上送, 而無上言之人, 又無呈狀於內需司者, 子以謂實是位田. 何以知其只收稅乎? 左相欲令該司察之, 法司時方覈實, 故姑令不察耳."
상이 조강에 나아갔다. 영경연사 심연원이 아뢰기를, "들으니 홍주洪州 지방

에 있는 원각사圓覺寺의 위전位田 1백 50여 결結이 누락된 것으로 진고陳告되었으므로 이문移文하여 문서에 등록 속공屬公할 것이라고 합니다. 사사위전寺社位田은 영구히 제급한 곳도 있고 또 민전民田으로서 단지 세금만 거두는 곳도 있습니다. 세금만 거두던 민전을 사사寺社에 영속된 토지라고 하여 빼앗아 내수사內需司에 제급하는 것은 매우 불가합니다. 원각사를 혁파한 지 이미 오래되었으며 고조高祖·증조曾祖가 서로 전한 문권文券이 있으니, 어찌 이것을 영속된 토지라고 할 수 있겠습니까? 모든 사사위전은 호조가 쇄출刷出해서 자세히 기록해 놓았는데 어찌 홍주의 위전만 누락되었겠습니까? 백성들의 빈궁이 지금보다 심한 때가 없어 한 이랑의 토지도 백성들의 목숨과 관계가 있으니 해조該曹로 하여금 자세히 상고하게 해서 원통하고 억울함이 없게 하소서." 하니, 정원에 전교하기를, "원각사 위전에 관한 일을 좌상이 경연에서 아뢰었다. 본 고을에서 성책해서 올려 보냈으나 상언上言하는 사람이 없었고 또 내수사에서 정장呈狀하는 자도 없었으므로 나는 이것이 실제의 위전이라고 생각하였다. 세금만 거두는 것인 줄 어떻게 알았겠는가? 좌상이 해사로 하여금 조사하게 하고자 하였으나 지금 법사法司가 핵실覈實하고 있는 중이니 우선 조사하지 말게 하라."하였다.

### 2)『명종실록明宗實錄』권 제21 명종 11년 12월 1일 병술 조
: 헌부가 전라도 나주·영암·진도의 정전에 대해 아뢰다

憲府啓曰: "全羅道 羅州, 靈巖, 珍島居水軍丁太江等二十餘名, 來訴于本府曰: '戶曹因內需司牒呈移文內, 卒贈右議政朴墉妻金氏進上靈巖地伏所浦, 羅州地瓦浦內海澤正田五十負, 加耕田一結二十五負, 令所在官守令, 一同打量, 成册上送事行移 而洪世貞稱名人, 以內需司書題下去, 元關付伏所浦, 瓦浦, 則全不審定, 而不干康津防築, 豆音方浦防築, 仍邑防築, 家呼水防築, 島示洞防築等正田, 落種百餘石之地, 不與所在官守令眼同看審, 而只率書員, 私自成冊上來, 至爲憫望.'云. 本府移文于本道監司, 令都事, 備細看審回報, 而其答關曰: '洪世貞, 以海澤立案, 稱入內, 不持來, 故無文券相考爲難'云. 大抵兩邊相爭之地, 必須考見文券而後, 可辨是非也. 所謂康津防築等正田, 果是立案之內, 而百姓等稱爲己田, 冒占耕食, 則强暴莫甚, 初不干於立案之地, 世貞依憑侵奪, 則民之冤憫, 亦不可言. 請令本道觀察使, 擇定剛明差使員, 督納兩邊文券, 詳細推閱, 辨覈是非, 急速啓聞."答曰: "如啓."

헌부가 아뢰기를, "전라도 나주·영암·진도에 거주하는 수군水軍 정태강丁太江 등 20여 명이 본부에 호소하기를, '호조戶曹가 내수사內需司에서 보고한 이 문移文에 의하여, 죽은 증 우의정贈右議政 박용朴墉의 처 김씨가 바친 영암 복소포伏所浦와 나주 와포瓦浦 혜택海澤의 정전正田 50부負, 가경전加耕田 1결結 25부를 그 소재지의 고을 수령들이 함께 측량하여 문서로 작성해 올리라고 행이行移하였는데, 홍세정洪世貞이라는 사람이 내수사의 서제書題181를 데리고 내려와서 본래 공문서 내용에 있는 복소포와 와포는 조사하지 않고, 상관 없는 강진康津 방축防築·두음방포豆音方浦 방축·잉읍仍邑 방축·가호수家戶水 방축·도시동島示洞 방축 등지의 정전으로 낙종落種 1백여 석의 땅을 소재지의 고을 수령의 입회 조사도 없이 서리들만으로 사사로이 조사 작성하여 올라갔으니 매우 민망하다.' 하였습니다. 본부에서 본도 감사에게 이문하여 도사都事로 하여금 자세히 조사해 회보하게 했더니 '홍세정이 해택海澤에 대한 입안立案을 궐내로 들여보낸다는 핑계로 가져오지 않으니 문서가 없어 조사가 어렵다.'고 답했습니다. 반드시 양편에서 서로 다투는 땅은 반드시 문권文券을 참고해 본 뒤라야 시비를 판단할 수 있습니다. 앞에 열거한 강진 방축 등의 정전이 과연 입안되어 있는데 백성들이 자기 소유라고 주장하여 함부로 점유하여 농사를 짓는다면 강포强暴하기 막심한 것이고, 애초에 입안되지도 않은 땅을 세정이 세력을 빙자해서 빼앗았다면 백성의 억울함 역시 말할 수 없을 것입니다. 본도 관찰사로 하여금 강명剛明한 차사원差使員을 정하여 쌍방의 문권을 독촉해 받아 대조 조사하여 시비를 분명히 가리도록 하고 속히 계문啓聞하게 하소서."하니 아뢴 대로 하라고 답하였다.

<small>출전: 국사편찬위원회 한국사데이터베이스 http://db.history.go.kr</small>

## 3) 『명종실록明宗實錄』 권 제13 명종 7년 5월 29일 경술 조
### : 사자암은 잡역에 동원하지 말게 하다

傳于政院曰: "獅子菴, 本是內願堂, 依他內願堂例, 勿爲本官雜役."〔大妃酷貪佛法, 篤意崇信, 諸山寺刹, 無不施舍, 人靡ㄨ〔不〕擅〔檀〕越. 大妃欲興佛道, 顧無主張之僧, 廣問博訪, 未得其人.

정원에 전교하였다. "사자암獅子菴은 본시 내원당內願堂 이니, 다른 내원당의 예에 의해 본 고을에서 잡역雜役을 시키지 말라." 대비大妃가 불법을 혹탐酷貪하여 독실히 숭상하였으므로 모든 사찰에 시사施舍하지 않은 곳이 없었기 때문에 사람들이 마구 휩쓸렸다. 대비가 불교를 일으키려 하였으나 주장할 만한 승려가 없어서 널리 수소문하였지만 적격자를 얻지 못하였었다.

<small>출전: 국사편찬위원회 한국사데이터베이스 http://db.history.go.kr</small>

## 4) 「영천군 은해사 사적永川郡銀海寺事蹟」

天開一界於有物之初 化翁之氣 妙焉永州之西壑; 地闢招提於勿名之際 律師之點 遙落八公之東栢. 淳風聲振八埏之中; 嘉範名立三千之數. 佛石上聳峰頂 新羅之願堂 名流於今時; 寶曆雄壓中山 我朝之胎室 特立於永世. 巧環兮 多情之局勢; 深宲乎 幾疊之洞門. 崇佛之正信 起於顯德羅王; 刱院之神制 始於此眞國傳. 鼎立三古刹 終爲眷屬 嶺外之名蘭 咸讓此山; 冀分兩洪溪 會成一流 國

中之仁刹 均稱我寺. 乾方遺跡 元昰道場. 居組風光 殿安五百聖僧衆; 樂西留響 現行十字陀羅尼. 銀海漩流 金波匝匝. 講鍾禪鐸 互高低於雲端; 點玉佩金 換領袖於樓下. 賓屢盈戶 舊儲斬傾; 六甲相承 新緶從產, 稚童繼蹤 沙門自澹, 等公山而齊壽 與漲水而同流. 新羅顯德王時 洪眞國師 在上聳庵 常宴坐視法之次 下指此基 曰將建刹于此 則雲百安三寺 皆爲屬庵云, 卽㭆寺之源 起於是日也. 羅時敬順王影像 奉安於 上聳矣. 庵傾移安於百興 後更移于慶州. 明嘉靖二十五年乙巳 仁宗大王卽位翌年丙午 胎室加封 而改碑焉. 是年 天敎師 建法堂數間 非久失火, 寺之草㭆 始於丙午也. 嘉靖四十五年甲子 妙眞師 建法堂 不久傾頹, 萬曆十七年己丑 法英師與義演廣心二師 建法堂 四方三間 子坐午向, 仍以丹靑 寺之盛 始於此時也. 宣祖昭敬大王二十五年壬辰 ▓徒來▓, 仁祖憲文大王十五年丙子 逢胡亂 卽崇禎末也. 淸順治八年辛卯 渾寺同發精心 大法堂及禪僧二寮樓閣曹溪門 一時改丹靑. 時天祐大師 撰記文 卽孝宗宣文大王時也. 康熙五十一年壬辰二月日 本寺一珠和尙 躬進京師 以此寺 入屬于宗親府, 亦以蠲減雜役事 御押完文 特爲帖下 卽我英宗大王潛邸時 宗親府一堂上故也. 自此 寺之各項進上 一竝除減, 各營門 種種雜役 一切勿侵, 其優恩異渥 不可得以稱量也. 乾隆二年丁巳 卽我英宗大王卽位之第二年也. 是時 本寺一珠·處行二大德 與寺中擧事 大法堂及樓閣天王門 一時改丹靑. 雉岳山人燊淵大師 住雲浮時 撰記文曰 前殿以今彩而鮮焉 今彩以前殿而光焉云云. 嘉慶二年 卽我聖上卽位之二十二年也. 是年 山人璟玉碩麟 前任海雲·有和·勝修等 分募左右 且一寺老少 作優倡竿木之戲 亦分乞境內 大法堂 但改西一樑 夫椽及椽木 隨傷補葺, 樓閣總改檁椽. 其時 法堂與樓 同時改丹靑 前南漢總攝快性 執繩墨 畫士指演 執彩筆 前摠攝體周 幹役 道榮 掌財 用數千金而訖功. 時道峰老師 住百興 影波老師 住雲浮, 雲浮祖室雪虛知添 自關東而來 指揮大略 改樑葺椽. 自萬曆己丑 至嘉慶丁巳 法堂年記二百八十一年, 若以嘉靖丙午計之 則寺之㭆來 凡三百二十四年也. 代歷聖朝十一世 二度重葺 三度丹靑, 自昔

觀今 以今視後 則亦不知幾經葺理 而至于何年月也. 寺之基地不寬 前人之營
但法殿一 樓閣一 天王門一 衆寮六 殿舍二也. 殿中安一軀彌陀尊像 暢化內外
共結極樂緣 同生九品鄕而已. 殿前一樓 令齋時 鍾鼓爭響 魚梵相和 亦作迎魂
對賓之所也. 天王門 乾隆辛巳 寺之戊午甲 改刱丹雘 高掛四王像 爲擁護伽藍
之儀也. 左右禪僧二寮 翼然宏壯 依然如達磨西來 憍陳初悟之軌也. 殿之東 有
別室 · 滿月二寮 皆依舊人烟之不絶也. 樓之左右 有極樂 · 淸風二寮 皆朝烟夕
燈之不歇也. 二殿舍觀音今香閣也. 安養念誦之不絶四時也. 至於供需一所 日
三時排床 不下一百二百 則寺用可知也.

西有白蓮舍 昔之雲浮所屬白蓮移建 而遞迎講伯也. 南有瑞雲庵與寺同建 亦講
堂也. 西五里許 奉安仁宗大王胎室. 寺之主山掛峽處 有雲浮庵, 昔之大刹 變
爲一蘭若. 有圓通殿 月氏國鑄像觀

世音尊像 儼然而坐, 墻外有大石槽 昔日寺巨之跡也. 胎室內峽 有百興庵 是亦
昔刹 變爲大講堂, 公殿三 曰極樂 曰靈山 曰冥府也. 胎室白虎下 有忠孝 · 彌
陀兩庵. 彌陀念佛人接息之一小龕也,

忠孝亦講室也. 其上數里 有妙峰禪室, 開窓足見白雲凝布之在下也. 渡一壑 上
聳古基 卽新羅顯德王時 洪眞國師所刱 而是八公山第一名勝地 大小別星 皆登
此庵 而或度夜或歇駕而歸 是庵傾

頹後 戊申己酉年間 山人指演 以獨力刱普聞窟 而累行百日聖供以後 念佛人相
繼而安居也. 其上有二層殿法堂 上聳佛所安之處 而皆畏爐也. 左有石門 門內
有中庵 庵上有龍石 · 虎石 動石 是一

局之祖宗也. 左右懷抱 皆攝會於此寺之前 遊翫之士 無不登此驚 動其腸神也.
越小嶺 有奇奇庵 昔之安興寺 變爲一蘭若. 中間重刱時 下新基 而遠近衲子
隨節遞節 四番精進于今 晨晡之不絶念佛聲也. 上聳之旁 有高峰庵古址, 竗峰
之路 有獅子庵古址. 其下有上東林 · 下東林 · 下忠孝等古址. 百興上 有白蓮
址, 案山下 圓明 · 圓通講堂古址也. 寺之主山外峽 有鳳棲庵, 居祖寺上 有日

出庵 · 月出庵 · 五蓮庵. 五蓮窟傍 有刻石曰 元和尙, 又刻石曰 三災不到處云矣. 大抵銀海之名於邇邇者 無其實而有其名乎. 余於戊申春 來住是寺 坐雲浮十載 凡所瞻躬 雖月異而歲不同 以余之管見商量 則銀海之深者 有其三焉. 近年戊午 · 甲子二甲 各獻百斗地於三寶 若六甲相繼而湧出財海 則銀海之深者一也. 山門廣闢慧炤禪燈 有光法室 而宗猷緬邈 拈弄不窮 則銀海之深者二也. 邦內諸山 僧寮幾空 而是寺窄室廣廈 俱不息烟, 比丘沙彌 自牧謙儉者 皆衣其衣食其食 則銀海之深者三也. 銀海深深 金波匝匝 盡未來際 如海之不增不減 則古人立名之意 豈不美也哉. 偈曰

三百年前刱寺因 指端靈燭國師眞
道流銀海波中月 鍾掛公山畵裏春
寮磬四時聲玉洞 庵欄九秋汽霜旻
可觀六甲相承事 忍接昕哺斗戶賓

聖上戊午冬　　影波沙門聖奎 撰

時維那　前總攝　體周

時僧統　　寶玉

하늘이 사물이 있게 된 태초에 한 세계를 열었으니 조화옹造化翁조물주의 기상이 영주永州영천의 옛 이름의 서쪽 골짜기에서 오묘하고, 땅은 사물의 이름조차 없던 즈음에 한 사찰을 열었으니 율사律師의 점지하심이 멀리 팔공산 동쪽의 백지사柏旨寺에 닿았어라. 순후한 풍속 바람 되어 온 세상에 진동하고, 아름다운 모범 이름나서 삼천세계에 우뚝하여라. 불석佛石이 산정山頂의 봉우리에 솟아 신라의 원당願堂 그 이름 지금까지 전해오고, 보력寶曆제왕의 통치이 중산中山中岳: 팔공산을 압도하여 우리 왕조의 태실 영원토록 전해지리. 교묘하고 아름다워라! 다정한 국세局勢여, 깊고도 아늑하여라! 몇 겹의 골짜기인가. 부처님 숭상하는 올바른 믿음 신라의 헌덕왕憲德王 때 일어났고, 절을 세우는 신묘한 제도 홍진국사에서 시즈되었네. 정립鼎立했던 세 고찰古刹이 마침내 [은해사의] 권속이 되니 영남의 유명한 사찰들 모두 이 산중에 공손하고, 날개처럼 나뉘었던 두 큰 시내 합쳐져 한 줄기 이루니 나라 안의 절들 한결같이 우리 절을 칭송하네. 서북쪽[坤方] 유적遺跡은 원참元㒴스님의 도량道場 거조사居祖寺지금의 거조암居祖庵의 풍광이여 전각에는 오백의 나한상을 봉안했고, 낙서암樂西庵에 남은 메아리여 지금도 십자다라니十字陀羅尼를 수행하네. 은빛 바다[銀海] 굽이치고 금빛 파도 넘실대는 이곳 은해사! 강의하는 종소리 참선하는 목탁소리 서로 구름 끝에서 높아졌다 낮아지고, 옥으로 장식하고 금붙이로 꾸민 사람들 옷깃과 소매 누각 아래에서 교차하네. 문에 가득하도록 손님 찾아 묵은 저축이 점차 기울면, 동갑계同甲契 서로 이어가며 새 곡식으로 다시 채운다네. 어린 동자들 발길이 이어지고 사문沙門들은 담박하여, [이곳 은해사는] 팔공산과 똑같이 수명은 무궁하고 불어난 물처럼 길이 흐르리.

　신라 헌덕왕[顯德王] 때 홍진국사共道國師가 상용암上聳庵에 머물면서 항상 고요히 앉아 수행하다가 아래로 이 터전을 가리키며 말하길, "장차 여기에 절을 세우면 운부사雲浮寺지금의 운부암 · 백지사栢旨寺 · 안흥사安興寺 세 절이 모두 소속 암자가 될 것."이라고 했다고 하니, 절 창건의 기원이 이날에 시작되었다. 신라 때는 경순왕敬順王의 초상을 상용암에 봉안하였었다. 암자가 기울자 백흥암百興庵으로 옮겨 봉안하였다가 훗날 다시 경주慶州로 옮겨갔다.

　명明 가정嘉靖 25년인 을사년乙巳年1545에 인종대왕仁宗大王이 즉위하였으며, 이듬해 병오년丙午年1546 태실胎室을 가봉加封하고 비석을 다시 세웠다. 이 해에 천교天教스님이 법당法堂 몇 칸을 건립하였는데, 오래지 않아 실화로 불타버렸지만 절의 첫 창건은 병오년에 시작된 셈이다. 가정 45년인 갑자년甲子年1504에 묘진妙眞스님이 법당을 건립하였으나 오래지 않아 기울고 퇴락하자, 만력萬曆 17년인 기축년己丑年1589에 법영法英과 의연광심義演廣心 두 스님이 남향받이 사방 세 칸자리 법당을 세운 뒤 단청을 올리니, 절의 융성은 이때부터 시작되었다. 선조소경대왕宣祖昭敬大王 25년인 임진년壬辰年1592 왜적들이 침략하였으며, 인조헌문대왕仁祖憲文大王 15년인 병자년丙子年1636에 호란胡亂을 당했으니, 곧 숭정崇禎162~1644 말엽의 일이었다.

청淸 순치順治 8년인 신묘년辛卯年1651에 온 절이 함께 정성을 모아 대법당大法堂 및 선당禪堂과 승당僧堂, 누각과 조계문曹溪門을 일시에 새롭게 단청하였다. 그때 천우대사天祐大師가 기문記文을 지었으니, 곧 효종선문대왕孝宗宣文大王 시절이었다. 강희康熙 51년인 임진년壬辰年1712 2월 아무 날 본사本寺의 일주화상一珠和尙이 몸소 서울에 올라가 이 절을 종친부宗親府에 소속시키고, 또한 특별히 잡역雜役을 줄여주도록 하는 일로 어압御押임금의 수결이 있는 도장이 찍힌 완문完文을 발급 받았으니, 우리 영종대왕英宗大王영조英祖께서 왕자이실 때 종친부 당상堂上의 한 분이었기 때문이었다. 이때부터 절에서 진상해야 하는 여러 항목이 일제히 줄어들거나 없어졌으며, 각 영문營門의 갖가지 잡역도 일절 사라졌으니, 그 넉넉하고 남다른 은혜는 이루 헤아릴 수 없는 것이었다.

건륭乾隆 2년인 정사년丁巳年1737은 곧 우리 영종대왕께서 즉위하신 지 2년째 되는 해였다. 이때 본사의 일주一珠·처행處行 두 대덕大德이 절의 대중들과 함께 일을 일으켜 대법당 및 누각과 천왕문天王門을 일시에 새롭게 단청하였다. 치악산인雉岳山人 찬연대사粲淵大師가 그때 운부암에 머물고 있었는데, 기문을 지어 이르길, "종전의 전각은 지금의 채색으로 곱고도 밝아졌고, 지금의 채색은 종전의 전각으로 환하게 빛난다."라고 하였다. 가경嘉慶 2년1797은 곧 우리 성상聖上정조께서 즉위하신 지 22년째 되는 해였다. 이 해에 산인山人 경옥석린璟玉碩麟, 전임자인 해운海雲, 그리고 유화有和·승수勝修스님 등이 각자 분담하여 가까운 사람들로부터 모연募緣을 하고, 또 노소 구분 없이 온 절의 스님들이 배우[優俳]가 되어 짐대놀음[竿木之戱]을 벌이기도 하고 경내를 돌며 동냥도 하여 대법당은 단지 서쪽의 대들보 하나를 갈고, 부연夫椽과 서까래는 손상된 것만 교체하였으며, 누각은 대연欞緣을 모두 바꾸었다. 그때 법당과 누각의 단청을 동시에 개채改彩하였는데, 전 남한총섭南漢總攝 쾌성快性 스님이 먹줄[繩墨]을 잡았고, 화사畵士 지연指演스님이 채필彩筆을 잡았으며, 전 총섭總攝 체주體周스님이 간역幹役을 맡았고, 도영道榮스님이 재정을 담당하여 수천금의 돈을 들여 일을 마쳤다. 그 무렵 도봉노사道峰老師는 백흥암에, 영파 노사影渡老師는 운부암에 머물고 있었는데, 운부암의 조실祖室 설허 지첨雪虛知添스님이 관동關東으로부터 이곳으로 와서 [이분들이] 대강의 일을 지휘하여 대들보를 갈고 서까래를 고쳐 얹었다. 만력 기축년부터 가경 정사년까지 법당은 그 지나온 햇수가 281년이 되고, 만일 가정 병오년부터 계산하면 절은 창건 이래 대체로 324년이 경과한 셈이다. 역대로 11대 임금을 거치는 동안 두 차례 중수[重葺]하였고 세 차례 단청하였으니, 옛날의 시점에서 지금을 보듯 지금의 시점에서 뒷날을 논한다면 역시 앞으로 몇 차례나 수리하고 어느 해까지 이어질는지 알 수 없는 일이다.

절의 터전이 넓지 않아서 앞사람들이 경영한 것은 단지 법전法殿 한 채, 누각 한 채, 천왕문 한 채, 갖은 요사寮舍 여섯 채, 그리고 전사殿舍 두 채였다. 법전에는 미타존상彌陀尊像 1구軀를 봉안했으니, 그 뜻은 안팎으로 교화를 펼쳐 함께 극락왕생極樂往生의 인연을 맺어서 더불어 극락정토[九品鄕]에 태어나기를 바라서일 따름이다. 법전 앞의 누각에서는 재齋를 모실 때 종소리 북소리가 다투어 울리고 목어소리 범패梵唄소리 서로 어우러지는터, 이곳은 또한 혼령을 맞이하고 손님을 접대하는 곳이기도 하다. 천왕문은 건륭 신사년辛巳年1761 절의 무오갑戊午甲무오생들의 동갑계에서 개창改刱하고 단청하여 사천왕상 불화를 높이 걸었으니, 이는 가람伽藍을 옹호하는 뜻을 담고 있다. 좌우의 선당과 승당 두 건물은 나래를 편 듯 크고 장엄하여, 그 의젓함이 마치 달마대사가 서쪽에서 온 듯, 교진여憍陳如가 처음 깨달음을 얻은 듯 법도가 있다. 법전의 동쪽에는 별실別室과 만월료滿月寮 두 요사가 있는데, 모두 예전과 다름없이 사람살이의 자취가 끊어지지 않고 있다. 누각의 좌우에는 극락료極樂寮와 청풍료淸風寮

두 요사가 있어서, 모두 거르는 일 없이 아침 연기 오르고 저녁 등불이 밝혀진다. 두 채의 전사는 관음전觀音殿과 금향각金香閣이니, 극락을 염원하는 염불소리가 사시사철 끊어지지 않는다. 심지어 공수供需[부엌,주방] 한 곳에서만 하루 세 차례 상차림이 일백이나 이백을 내려서지 않으니, 절의 씀씀이를 가히 알 수 있을 것이다.

　서쪽에 있는 백련사白連舍는 옛날 운부사에 소속되었던 백련암白蓮庵을 이건한 것으로서, 강백講伯들이 바뀔 때마다 번갈아가며 머무는 곳이다. 남쪽에는 서운암瑞雲庵이 있는데, 큰절과 동시에 세워졌으며, 역시 강당講堂이다. 서쪽으로 5리쯤에 인종대왕의 태실이 봉안되어 있다. 절의 주산主山 골짜기에 운부암이 있으니, 옛날의 대찰大刹이 변하여 하나의 암자[蘭若]가 되었다. 이곳의 원통전圓通殿에는 월지국月氏國에서 주조鑄造한 관세음존상觀世音尊像이 어엿하게 앉아 계시고, 담장 밖에 있는 큰 석조石槽는 지난날 절이 컸던 것을 보여주는 유적遺跡이다. 태실의 안쪽 골짜기에 백흥암이 있는데, 이곳 역시 예전의 절이 변하여 큰 강당이 되었다. 여기는 공전公殿이 세 군데로, 극락전極樂殿 · 영산전靈山殿 · 명부전冥府殿이 그곳이다. 태실의 오른쪽 산줄기[白虎] 아래에 충효암忠孝庵과 미타암彌陀庵이 있다. 미타암은 염불하는 사람이 깃들어 사는 작은 감실龕室이고, 충효암은 역시 강실講室이다. 그 위쪽으로 몇 리 지나면 묘봉선실妙峰禪室이 있다. 여기서는 창을 열면 언제나 흰 구름이 어리어 발아래 펼쳐진 것을 볼 수 있다. 여기서 골짜기 하나를 건너면 상용암의 옛터이니, 바로 여기가 신라 헌덕왕[顯德王] 때 홍진국사가 창건한 곳으로 팔공산 으뜸의 명승지여서, 대소의 별성別星[임금의 명을 받들고 파견되는 봉명사신奉命使臣], 여기서는 지방관地方官]들이 모두 이 암자에 올라 혹은 밤을 지새우거나 혹은 가마를 쉬다가 돌아가곤 한다. 이 암자가 쇠락하여 스러진 뒤 무신년戊申年 1788 기유년己酉年1789 즈음에 지연스님이 혼자 힘으로 보문굴普聞窟을 창건해서 누차 백일기도[百日聖供]를 드린 이후로 염불하는 사람들이 계속 이어가며

안거安居하고 있다. 그 위쪽에 있던 2층의 전각과 법당은 상용불上聳佛을 안치한 곳이었으나, 도두 불타 없어졌다. 그 왼쪽에 석문石門이 있고, 문 안쪽에 중암中庵이 있다. 암자 위에 용석龍石·호석虎石·동석動石이 있으니, 이곳이 곧 한 산자락의 꼭대기이다. 좌우로 품에 안기는 듯한 바위들이 모두 이 절 앞으로 모여들기 때문에 유람객 가운데 여기에 올라서면 놀라서 정신이 아뜩해지지 않는 사람이 없다. 작은 고개를 넘으면 기기암奇奇庵이 있으니, 옛날의 안흥사가 변하여 작은 암자[蘭若]가 되었다. 중간 아래쪽에 새 터전을 마련하여 중창했는데, 지금까지도 멀고 가까운 곳에서 납자衲子들이 계절 따라 지팡이를 짚고 번갈아 모여들어 한 해에 네 차례 정진하므로 아침저녁으로 염불소리가 그치지 않는다.

상용암 옆에 고봉암高峯庵 옛터가 있고, 묘봉암 가는 길에 사자암獅子庵 옛터가 있다. 그 아래쪽에 상동림암上東林庵·하동림암下東林庵·하충효암下忠孝庵 등의 옛터가 있다. 벅흥암 위쪽에 백련암 터가 있고, 안산案山의 아래에는 원명암圓明庵·원통강당圓通講堂의 옛터가 있다. 절의 주산 너머 골짜기에 봉서암鳳棲庵이 있으며, 거조사 위쪽에 일출암日出庵·월출암月出庵·오련암五蓮庵이 있다. 오련굴五蓮窟 옆에 '원화상元和尚'이라고 새긴 각석刻石이 있으며, 또 '三災不到處삼재부도처삼재가 들지 않는 곳'이라고 새긴 각석이 있다고 한다.

무릇 은해사가 멀고 가까운 곳에 이름이 난 것은 그 실질은 없으면서 명성만 있는 것일까? 내가 무신년戊申年1788 봄에 이절로 와서 운부암에 10년을 머무는 동안, 눈으로 보고 몸으로 겪은 일들이 비록 달마다 다르고 해마다 똑같지 않았으나, 내 좁은 소견으로 생각건대 은해사에는 깊은 것이 세 가지 있다. 근년에 무오갑戊午甲무오생 동갑계과 갑자갑甲子甲갑자생 동갑계 두 곳에서 각각 100두락斗落의 땅을 삼보三寶에 헌납했는데, 만약 육십갑자六十甲子의 모든 동갑내기들이 이와 같이 계속 이어간다면 재물이 바닷물처럼 솟구쳐오를 터이니, 이것이 은해사의 깊은 것 가운데 첫 번째이다. 산문山門이 널리 열려 지혜의 햇불[慧炬] 선정禪定의 등불[禪燈]이 법실法室마다 빛나서 종문宗門의 가르침[宗猷]을 면면히 이어가며 무궁토록 간직하리니, 이것이 은해사의 깊은 것 가운데 두 번째이다. 나라 안의 여러 산중에는 승료僧寮들이 거의 비었으나, 이 절의 좁은 방 넓은 집들은 모두 불 때는 연기가 그치지 않아서 자신을 겸손하고 검박하게 가꾸어가는 비구比丘와 사미沙彌들이 모두 입을 만한 옷을 입고 먹을 만한 음식을 먹으니, 이것이 은해사의 깊은 것 가운데 세 번째이다. 은빛 바다[銀海] 깊고도 깊고 금빛 물결 출렁출렁 넘실거려 먼 미래가 다하도록 마치 바다와 같이 늘지도 줄지도 않는다면 옛사람들이 은해사라고 이름을 지은 뜻이 어찌 아름답지 않으랴. 게송偈頌으로 이르노니,

삼백 년 전 절을 세운 인연을
손가락으로 신령하게 밝혀주신 국사의 초상이여
가르침 은해로 흘러드니 물결 속의 달빛이요
종소리 공산에 걸렸으니 그림 속의 봄일레라
추녀 끝 풍경소리 언제나 옥 같은 골짜기에 올리고
깊은 가을 암자의 난간에는 서리 품은 가을하늘 떠있네
육갑의 동갑들이 서로 이어가는 일 볼만하니
아침저녁 작은 방 찾는 손님 차마 응접할 수 있으리
성상聖上정조 무오년戊午年1798 겨울
영파사문影波沙門 성규聖奎 짓다.
이때의 유나維那 전 총섭總攝 체주體周
이때의 승통僧統          보옥寶玉

출처 : 은해사 성보박물관

## 5)「순영제음巡營題音」

道內之名山 古刹在在 蕩敗幾乎 不聞鐘磬之聲 非細慮 而此專由於各營各邑 全不願念一任 該色輩操縱侵逼而然矣 銀海寺 自是八公山巨刹 而至於百興菴則係是 莫重守護之所 又有先朝御押事 體道理滿滿尊嚴是如乎 若或有一毫橫侵之弊則 卽爲呈營 以爲從重嚴處之地 爲旀完文段特爲成給事 戊午正月十九日 兼使 都事

도내慶尙道 道內에 있는 명산의 고찰古刹이 모두 없어지고 퇴락하여 거의 종소리를 듣지 못할 상황이니 실로 안타까운 일이다. 이는 오로지 각영各營 및 각읍各邑의 수령이 전혀 돌보지 않고 담당 아전배에게 일임하여 자의적으로 조종, 침해했기 때문이다. 은해사銀海寺는 본시 팔공산八公山의 거찰巨刹이고, 백흥암百興菴의 경우 막중한 수호처에 해당할 뿐 아니라 선조대先朝代 : 영조의 어압御押 : 임금의 手決이 있어 이치상 지극히 존엄한 곳이므로 추호라도 침해하는 폐단이 있으면 즉시 감영監營에 보고하여 엄벌에 처한다는 내용의 완문完文 · 공문公文을 특별히 발급한다.

무오戊午 : 1798년 1월 19일

겸사兼使 수결手決 도사都事

출처 : 은해사 성보박물관

## 6)『태재선생문집泰齋先生文集』「운부사雲浮寺」1815

| 獨訪雲浮寺 | 혼자서 운부사를 찾아가니 |
| 禪房靜可依 | 선방 고요하여 의지할 만하네 |
| 谷深車馬少 | 골짜기 깊어 수레와 말이 적고 |
| 僧老歲年遲 | 노승은 나이 먹는 법을 잊었도다 |

竹影侵虛榻　대나무 그림자 빈 걸상을 드리우고
松風透薄衣　솔바람은 엷은 옷에 사이로 불어오누나
山靈應不昧　산의 신령스러움이 응당 어둡지 않으니
結社會如期　결사의 모임을 기약하네

출전 : 한국고전종합DB https://db.itkc.or.kr/

### 7)『가산고伽山藁』「석담대사상찬石潭大師像讚」1852

妙峯海上　은해사 위 묘봉암
孤岑石潭　외로이 봉우리에 선 석담은
禪門之彪　선문의 호랑이 무늬이다.
窈窕春晝　한적한 봄날의
闃靜雲關　고요한 구름 빗장
嫻然一幅　우아한 한 폭의 그림이
大師容顏　바로 대사의 얼굴이니라.
畫裡瞻想　그림 속에서 우러러보는 건
七分之間　아련함이다.

출전 : 불교기록문화유산아카이브 https://kabc.dongguk.edu

### 8)『함홍당집涵弘堂集』「근차백흥암판상운謹次百興庵板上韻」1879

蹉跎世事不曾謀　어그러진 세상사 다시 도모하지 않고
林下惟羣鹿豕遊　수풀 아래에서 사슴 떼 멧돼지와 노니나니
一秼雲煙凝佛塔　한 무더기 구름은 불탑에 맺혀 있고
百年松檜擁禪樓　백 년 묵은 소나무들 선문의 누대 옹호한다

| 磨來道鏡靑山靜 | 도의 거울을 탁마하는 청산은 고요하고 |
| 滌去塵心碧澗流 | 때 묻은 마음 씻어 내는 푸른 시내 흐르나니 |
| 嶺外伽藍名勝地 | 산마루 밖 가람, 명승지에 |
| 禪宗講伯古今留 | 선문의 종사와 강백들 옛나 지금이나 머무는구나 |

출전 : 불교기록문화유산 아카이브 https://kabc.dongguk.edu

# 제4장 숭유억불崇儒抑佛을 넘어
## 화엄강학의 선찰禪刹로 우뚝서다

### 1. 운부암, 화엄강학華嚴講學의 시발점이 되다

#### 1)『화엄품목문목관절도華嚴品目問目貫節圖』「모운대로행적慕雲大老行蹟」

逮丙寅秋, 以公山遠公之請, 居於雲浮精舍, 大開毗盧藏海, 重闡華嚴法會.

모운진언慕雲震言스님은 병인년1686 가을에 이르러 팔공산 원공遠公스님의 청으로 운부정사雲浮精舍에 주석하며 화엄의 교법[毗盧藏海]을 크게 펼치고자 다시 한번 화엄법회를 열었다.

출전: 불교기록문화유산아카이브https://kabc.dongguk.edu

#### 2)『산중일기山中日記』5월 30일 신축 조

혜원스님이 아침을 준비했다. 식후에 진언 종장이 법당에서 여러 학도들을 모아 놓고 경전을 강설하는 것을 보았다. 금고金鼓가 울리자 책상 앞에 앉아 말을 시작하는데, 먼저『치문緇門』과『서장書狀』을 강하고, 다음에『화엄경』과『원각경』을 강했다. 강이 끝나자 여러 사람들이 일어나 조용히 절을 드리고 나가는데 그 광경이 볼 만했다.

잠자던 방으로 돌아와 벽원스님과 얘기했다. 여기에서 공부하는 보기普機스님은 속성이 정丁씨로 관향은 나주고 신녕新寧 사람이다. 선비 집안인데 집에 변고가 생겨 머리를 깎고 승려가 되었으며 나이는 병신생1656이라 한다. 애처롭다.

북녘의 종장宗匠인 천우天佑스님은 『화엄경』을 강하러 올해 3월에 이곳에 왔다고 한다. 얘기를 나눠볼 간했다.

벽원스님이 저녁을 차려주었다.

출전: 『산중일기山中日記』, 정시한, 「5월 30일 신축」, 신대현 역, 도서출판 혜안

## 2. 영파성규, 은해사에 화엄강학을 꽃피우다

### 1) 『숙종실록肅宗實錄』 권 제12 숙종 7년 7월 9일 경신 조
: 영의정 김수항 등이 책봉 주청사 차출과 종실의 균역 충정 등에 관해 논의하다

領議政金壽恒, 左議政閔鼎重請對. 壽恒曰: "冊封奏請使, 必當以大臣差送, 今自上特以李正英差授. 正英品秩, 與大臣同, 固無不可, 而第近例, 大臣未嘗假銜, 彼或詰問, 恐不免云事. 臣等當往, 而閔鼎重有所難便, 臣請往." 上難之. 壽恒又言: "旣不遣大臣, 則寧以宗班擇差." 上命遞正英, 而以宗班擇擬. 時, 中國商舶因大風, 多漂到羅州 智島等處, 而又有佛經縹帙甚新, 佛器等物製造奇巧, 漂泛海潮, 連爲全羅, 忠淸等道沿海諸鎭浦所拯得, 通計千餘卷. 道臣連續啓聞, 附上其書. 上取覽, 久不下. 鼎重言: "異端之書, 不宜久留聖覽." 壽恒亦言之, 上乃命分賜南漢寺刹. 壽恒又言: "頃因釐正廳啓辭, 《璿源錄》冒屬人, 竝充定餘丁之意陳達, 而只充餘丁, 終未免太輕. 請其保擧人中, 宗室朝官出身之類, 竝施奪告身之律, 冒屬之類竝充定軍役." 上從之.

영의정領議政 김수항金壽恒·좌의정左議政 민정중閔鼎重이 청대請對하였다. 김수항이 말하기를, '책봉 주청사冊封奏請使는 반드시 대신大臣을 차출하여 보내는

것이 마땅합니다. 이제 성상께서 특별히 이정영李正英을 차출하여 임명하셨는데, 이정영의 품계와 직질이 대신과 같으니 진실로 불가할 것은 없겠으나, 다만 근래의 예例로 볼 때 대신이 직함을 빌린 일은 없습니다. 저들이 혹시라도 책망하며 묻는다면 아마도 사건을 일으키게 됨을 면하지 못할 듯합니다. 신등이 당연히 가야 하는데, 민정중은 어렵게 여기는 바가 있으므로, 신이 가기를 청합니다."

하니, 임금이 그것을 어렵게 여겼다. 김수항이 또 말하기를, "대신을 파견하지 않는다면 차라리 종반宗班을 가려서 차임하소서." 하자, 임금이 이정영을 체임하고 종반을 가려서 의망擬望하도록 명하였다. 그때 중국의 장사하는 배가 큰 풍랑 때문에 표류漂流하여 나주羅州 지도智島 등지에 도달한 것이 많았다. 또 불경佛經 책으로 매우 새로운 것과 불사佛事에 쓰는 그릇 등 기이하고 교묘한 것이 있었다. 이것들이 물에 떠다니다가 조수[海潮]에 밀려와, 잇따라 전라도全羅道 · 충청도忠淸道 등의 바닷가 여러 진鎭과 포구浦口에서 건져내었는데, 총계가 1천여 권이었다. 도신道臣이 연속連續해서 계문啓聞하고, 그 책을 첨부하여 올렸다. 임금이 가져다 보고 오래도록 내려 주지 않으므로, 민정중이 이단異端의 서책書冊을 오래 머물러 두고서 임금이 보는 것은 적당하지 못하다고 말하고 김수항도 그것을 말하자, 임금이 남한南漢의 사찰寺刹에 나누어 내려 주도록 명하였다. 김수항이 또 말하기를, "지난번에 이정청釐正廳의 계사啓辭로 인하여 선원록璿源錄에 함부로 입속한 사람은 아울러 여정餘丁에 충정시켜야 한다는 뜻을 전달하였는데 단지 여정에 보충시키는 것만으로는 너무 가볍다는 비난을 면하지 못합니다. 청컨대 그 보거인保擧人 중에 종실宗室로서 조관朝官 출신出身인 부류는 아울러 고신告身을 빼앗는 율律을 시행하고 함부로 입속한 부류는 아울러 군역軍役에 충정하도록 하소서." 하니, 임금이 그대로 따랐다.

출전: 국사편찬위원회 한국사데이터베이스 https://db.history.go.kr

## 2) 『숙종실록肅宗實錄』 권 제11 숙종 7년 6월 5일 병술 조
: 대풍으로 사산의 소나무들이 많이 상하다

大風, 四山松木多折拔.

대풍大風이 불어서 사산四山 소나무가 많이 부러지고 뽑혔다.

출전: 국사편찬위원회 한국사데이터베이스 https://db.history.go.kr

## 3. 숭유억불을 넘어 선찰禪刹의 향기를 품고 우뚝서다

### 1) 『백암정토찬栢庵淨土讚』「사운四韻」 54수

教筵禪席盡荒凉
盲引羣盲最可傷
病藥未分空守舊
源流俱失但尋行
討論宜付叢林伴
念誦須教曉夜忙
善惡無門唯自召
西歸行色聚春粮

강원과 선방이 모두 다 황량하여
맹인이 여러 맹인 인도하니 너무도 슬프도다.
병과 약을 분간 못해 헛되이 옛것만 지키고
원류를 다 잃고서 다만 행적 찾기 바쁘도다.

토론은 마땅히 총림의 도반에 부쳐야 하고
염송은 모름지기 밤낮으로 바쁘게 권해야 하리.
선악은 문이 없고 오직 자신이 불러오는 것이니
서방 돌아가는 행장에 찗은 식량 모아 보세.

출전: 불교기록문화유산아카이브 https://kabc.dongguk.edu

# 제5장 1200년 묘법해妙法海에 깃든 극락세계를 찾아서

## 1. 칠세七世부모의 극락왕생을 기원하다

### 1)「순영제음巡營題音」

道內之名山 古刹 在在 蕩敗幾乎 不聞鐘磬之聲 非細慮 而此專由於各營各邑 全不願念一任 該色輩操縱侵逼而然矣 銀海寺 自是八公山巨刹 而至於百興菴則係是 莫重守護之所 又有先朝御押事 體道理滿滿尊嚴是如乎 若或有一毫橫侵之弊則 卽爲呈營 以爲從重嚴處之地 爲旀完文叚特爲戒給事 戊午正月十九日 兼使 都事

도내[道內: 慶尙道]에 있는 명산의 고찰古刹이 모두 없어지고 퇴락하여 거의 종소리를 듣지 못할 상황이니 실로 안타까운 일이다. 이는 오로지 각영各營 및 각읍各邑의 수령이 전혀 돌보지 않고 담당 아전배에게 일임하여 자의적으로 조종, 침해했기 때문이다. 은해사銀海寺는 본시 팔공산八公山의 거찰巨刹이고, 백흥암百興菴의 경우 막중한 수호처에 해당할 뿐 아니라 선조대先朝代[영조]의 어압御押: 임금의 수결手決이 있어 이치상 지극히 존엄한 곳이므로 추호라도 침해하는 폐단이 있으면 즉시 감영監營에 보고하여 엄벌에 처한다는 내용의 완문完文·공문公文을 특별히 발급한다.

무오戊午1798년 1월 19일

겸사兼使 수결手決 도사都事

출처: 은해사 성보박물관

## 2) 『욕상공덕경浴像功德經』

如來降生時

九龍吐水

沐浴全身

我今淸淨水

灌浴金身

我今灌浴童子佛

正智功德莊嚴聚

五濁衆生命離垢

當證如來淨法身

여래께서 태어나실 때

아홉 용이 물을 뿌려

온몸을 씻겨 드리니

저희들도 이 맑고 깨끗한 물로

금신을 목욕시켜 드립니다.

제가 이제 아기 부처님을 목욕시키오니

바른 지혜와 공덕을 모아 장엄하고

오탁 중생들은 더러운 때를 씻고

여래의 깨끗한 법신을 증득케 하옵소서.

출전: 불교기록문화유산아카이브 https://kabc.dongguk.edu

### 3) 『석문의범釋門儀範』

如來降生時

九龍吐水

沐浴全身

我今淸淨水

灌浴金身

我今灌浴童子佛

正智功德莊嚴聚

五濁衆生命離垢

當證如來淨法身

여래께서 태어나실 때

아홉 용이 물을 뿌려

온몸을 씻겨 드리니

저희들도 이 맑고 깨끗한 물로

금신을 목욕시켜 드립니다.

제가 이제 아기 부처님을 목욕시키오니

바른 지혜와 공덕을 모아 장엄하고

오탁 중생들은 더러운 때를 씻고

여래의 깨끗한 법신을 증득케 하옵소서.


## 2. 은해사 괘불탱화, 나라의 안녕을 소원하다 : 모란꽃비로 장엄한 부처님 세계

## 3. 또 하나의 극락세계, 태실수호사찰 백흥암

### 1) 「완문完文」

右完文爲成給事 永川八公山 仁宗大王胎室守護等 卽全貫於銀海寺
而其中百興菴於胎室 至近且要禁護一款 比他化緊是在如中 該菴從一毫勿侵事
御押奉安所重 自別京司關飭近又嚴截 故營本官雜役 依前觸減後完文
成給事爲去乎營役 次知僧徒等 亦悉此意 凡干營役一倂勿侵爲乎矣 如有
不有完意 更或混侵之幣則 該菴僧呈本官轉報嚴處 永久遵行宜當向事
戊午正月日在營
兼使 都事
嘉慶三年二月日 澄月正訓謹書

오른쪽 완문을 성급한 것은 다음과 같다. 영천 팔공산 인종대왕 태실수호 등을 전부 은해사에 내려준 것이다. 그중 백흥암은 태실에서 지극히 가깝고 중요하니 금하여 보호함이 한결같은 정성으로 하여 다른 것에 비해 더욱 단단히 해야 하는 터에 이 암자의 승역은 조금이라도 침탈하지 말 일이라. 어압이 봉안되어 소중한데, 서울 관청의 공문이 가까움이 특별하고 또 엄격하기에, 순영 본관의 잡역은 전과 같이 면제한다. 그래서 완문을 만들어 내려주니 영역을 맡은 사람과 승려들도 이 뜻을 모두 알아 모든 영역에 관계된 일에 한결같이 침탈하지 말되, 만일 완문의 뜻이 있는 듯 없는 듯하여 또 혹시 혼란하게 침탈하는 폐단이 생긴다면, 이 암자의 승려들은 본관에게 아뢰어 엄하게 처결하도록 하여, 영원토록 준행함이 마땅할 일이라.

정조 22년 正月 日 1월 모일 在營 순영에서
정조 22년 三月日 징월 정훈 삼가 쓰다.

출처 : 은해사 성보박물관

## 2)『명종실록明宗實錄』권 제3 명종 1년 4월 24일 경술 조
: 영천 태실의 석물을 부순 윤말금에 대해 추문할 것을 청하니 윤허하다

領, 右相啓曰: "永川胎室石物打毀者尹末金, 在逃見捉, 已令義禁府三省交坐矣. 然不過謀害邑宰云, 只令禁府推之何如?" 傳曰: "如啓."

영상과 우상이 아뢰기를, "영천 태실의 석물石物을 떠려부순 윤말금尹末金이라는 자가 도망쳤다가 잡혀왔으므로, 이미 의금부로 하여금 삼성교좌三省交坐하도록 조치하였습니다. 그러나 읍재邑宰를 모해할 생각으로 한 짓일 뿐이라고 하니 다만 금부로 하여금 추문하게 하는 것이 어떻겠습니까?" 하니, 아뢴 대로 하라고 전교하였다.

출전: 국사편찬위원회 한국사데이터베이스 https://db.history.gc.kr

## 3)「백흥암중흥유공기百興菴重興有功記」

雪華道峰紫嚴三大禪師 皆一代之名講主相繼宅本菴 各有不可幾之事業 此今日之所以記其 績而欲壽美者歟 盖庵也以古寺新華之餘 凡百艱難類同草刱者 不滿十數之徒 無終日之許雪華宗伯 以乾隆壬辰執錫而來 汎掃道場勞來 同志奄然成會而 多備塩醬爲後饒 隨補 敕廬以匡其危樓之東無砌築而完之 佛前內外亦多有力焉 而酬人請去之 之後紫嚴講老接其哉而鐥 佛之事治菴諸節前所未及者益張大之 而亦赴人請則 道峰和尙揮塵而 入募檀信 造釋迦像與阿羅 漢二軀 以補靈山殿之闕 其餘尊者皆粉而色之 且於冥府殿諸聖亦皆重彩焉 而仍備香火資別設奉 供 所爲兩殿千秋之享 市口屋防各殿滲漏之患備 講鍾爲說法時威儀之助設 祖師閣報前葡築蔭之 德敎徒 以禮讓 用財以節儉 自是來者月踏 財稍稍阜矣可謂百敝俱與 菴號曰百興 其待和尙而預秤 之乎 余因本菴主人海嚴師請 書之于雲浮 室中已師又曰如上諸功成可無優劣乎 余對曰 一則有草 刱

之難 二則有張大之益 三則有大備之功 語其跡則雖有些少淺深其難則無二也 子歸試語大衆 大衆聞之不易吾言矣 嘉慶十五年 庚午三月日霽月聖岸謹識 主菴海巖洪璘 都監聰彦 立繩巨旭 三寶任性

설화, 도봉, 자암 3대선사는 모두 한 시대를 대표한 유명한 강주로서 본 암자에서 머물며 각기 잊을 수 없는 업적의 일을 했다. 이에 금일 그 업적을 기록하여 미덕을 길이 전하고자 함이다. 옛 절이 있던 곳에 암자를 세우고 새롭게 불사함에 십여 명도 안 되는 문도들이 하루 종일 온갖 어려움이 견뎌야만 했다. 건륭 임진1772년에 설화종백이 석장을 짚고 이곳에 들어와 도량을 정비하고 같은 뜻을 가진 이들을 암자로 불러 회상을 이루고 소금과 식재료를 많이 준비하여 내일을 준비했다. 기울어지고 부서진 처소를 바로 고치고 누각의 동쪽 축대가 무너져 위험하여 그것도 완비를 하였다. 불전의 내외 또한 그처럼 많은 공력이 들어갔다. 그러나 [설화는] 열반의 부름에 의해 세상을 떠난다. 그리고 이후 자암 강주 장로가 이를 이어서 부처님의 개금과 암자를 수리하는 등 앞서 하지 못했던 것들을 비롯하여 크고 장대하게 불사를 더하였다. 그러나 [자암] 또한 열반에 이르러 세상을 떠나게 된다. 이후 도봉화상이 주장자를 잡고 암자에 들어와 신심있는 단월을 모아 영산전에 빠져있던 석가상과 아라한 2구를 조성하여 그것을 채웠으며, 그 외에도 모든 존자상에 색을 입혔다. 명부전의 모든 성인상에도 전부 두껍게 색을 입혔다. 그리고 향과 불이 갖춰져 있지 않아서 따로 공양을 받아 설치하여 양 전각에서 오래토록 향을 올리는데 사용할 수 있게 하였다. 죽옥을 매입하여 각전의 누수를 방지하고 재정을 비치하여 설법할 적에 위의에 도움이 되게 하였다. 조사각을 설치하여 선인의 음덕을 갚고 신도들에게 예절을 가르치며 절약과 검소로 재물을 쓰도록 인도하였다.

그로부터 찾아오는 자가 날로 늘어 재정이 점점 불어나서 백폐가 모두 부흥하였으므로 암자의 호를 백흥이라 하였으니 이는 화상의 뜻을 기려 예칭

한 것이다. 이에 본 암자의 주지인 해암선사의 요청으로 운부실에서 이 글을 쓴다고 하니, 해암선사가 다시 "위와 같은 모든 공덕이 어찌 우열이 없겠는가?"라고 하였다. 내가 답하기를, "첫째는 설화가 아무 것도 없는 것에서 시작할 때의 어려움이 있고, 둘째는 자암이 크고 장대하게 불사를 이룬 것이 있고, 셋째는 도봉이 여유있게 불사를 마친 공적이 있다. 그 행적을 말한다면 비록 사소한 차이가 있겠으나 그 어려움에는 어떠한 차이도 없다. 그대가 돌아가 만약 대중에게 이야기를 한다면 대중들도 듣고선 그리 생각할 것입니다."라고 하였다. 가경[1810] 5년 경오 3월, 일 제월성안 삼가 기록하다. 암주 해암홍인, 도감 총언, 입승 거욱, 삼보 임성.

출처 : 은해사 성보박물관

### 4) 「백흥암 상량문 종도리 묵서百興庵上樑文宗道理墨書」

忠孝 等庵亦助力爲 皇明 崇禎十六年歲次 癸未元月 日始發 於六月 日
上梁爲 壬辰癸巳之間黑齒 人惊于寺盡燒矣 年至王十而至癸未 而造成爲

충효사 등의 암자는 모두 명나라를 돕기 위함이다. 숭정 16년[1643] 세차 계미년 정월에 시작하여 6월에 상량하였다. 임진, 계사 사이[1592~1593, 임진왜란으로 추정]에 흑치인[왜구]이 죄을 전소시켰다. 왕이 10세가 되던 계묘년에 조성하였다.

출처 : 은해사 성보박물관

### 5) 『함홍당집涵弘堂集』「근차 백흥암판상운謹次百興庵板上韻」

蹉跎世事不曾謀　어그러진 세상사 다시 도모하지 않고
林下惟羣鹿豕遊　수풀 아래에서 사슴 떼 멧돼지와 노니나니

| | |
|---|---|
| 一秣雲煙凝佛塔 | 한 무더기 구름은 불탑에 맺혀 있고 |
| 百年松檜擁禪樓 | 백 년 묵은 소나무들 선문의 누대 옹호한다 |
| 磨來道鏡靑山靜 | 도의 거울을 탁마하는 청산은 고요하고 |
| 滌去塵心碧澗流 | 때 묻은 마음 씻어 내는 푸른 시내 흐르나니 |
| 嶺外伽藍名勝地 | 산마루 밖 가람, 명승지에 |
| 禪宗講伯古今留 | 선문의 종사와 강백들 예나 지금이나 머무는구나 |

출전 : 불교기록문화유산아카이브https://kabc.dongguk.edu

### 6)「백흥암중창기 百興庵重刱記」

惟庚戌建寅之二日 余自雲浮受衆請移寓于此 一日講罷管衆桂宇持 成造目屬余 以文曰 菴役經始已久間 爲本寺鬱修所灾奔走四年之間 儲畜殆空不敢復爲計 矣 有丙子甲稧 員出錢三百殖之二年 物力肇判 且重議協 卜時不可失 故卽召 工就役一用新材 以爲落落難合末乃神 兒有相經四箇月儼然成一大廈 此其事之 大略也 願爲一言以記之 就 考其實則 始事乃己酉元月也 靑峯潤和都監也 比丘 幻奎典貨也 其餘 執勞大小畢擧也 靑峯則終始斯事 克成厥功微斯人 其誰宜爲 昔者沙 門宴坐于草間樹下 季世人根微劣祁寒盛暑生疾病爲置伽藍 伽藍之 設 有自來矣 後之居此菴 卽軆前人刱設伽藍之意深思 諸師拮据焦勞 之功 晝三夜 三誦經念佛叅詳活句 一以吾家事爲業則庶有報於萬一 矣 尙勉之哉 余在雲庵 已知事之顚末 故不敢以不文辭而 書之如此是歲暮春節 高山沙門宗夏述·

가경 경술1850년 정월 2일에, 나는 운부암의 청중으로부터 이곳으로 옮겨 오기를 요청 받았다. 어느 날 강설을 마치자 청중 관리자인 桂宇가 조성 목록을 나에게 가져와 記文을 부탁하며 말하기를, "암자의 공사를 시작한 지 오래되었고 중간에 本寺의 火灾로 인해 4년 동안 동분서주한 나머지 재력이 거의 고갈되어 공사를 이어갈 계획을 세우지 못했습니다. 이에 丙子生 甲稧

員이 300전의 돈을 내어 공사를 멈춘 지 2년 만에 物力을 늘렸고 시기를 놓칠 수 없다는 논의 하에 즉시 匠人을 불러 공사를 재개하였습니다. 모두 새 목재를 사용하여 옛것에 부합하지 않을 것으로 여겨졌으나 신장이 도왔는지 시작한 지 4개월 만에 어엿이 大屋이 완성되었으니, 이것이 바로 공사의 개략입니다. 한 마디 글을 엮어 이를 기술해주기 바랍니다."하였다. 그 내용을 고찰해 보니 공사를 시작한 시기는 己酉1849년 1월이며 靑峰 潤和는 都監, 幻奎는 재정 담당이고 나머지는 그 勞役으로 大小가 모두 동원되었다. 특히 靑蜂은 시종일관 이 공사를 관장하여 큰 공을 세웠다. 이 사람이 아니었다면 누가 이 일을 해낼 수 있었겠는가! 옛적에는 沙門이 평소 풀섶과 나무 밑에 앉아 있어도 편안했는데 말세엔 사람들의 근기가 미약하고 혹독한 추위와 심한 더위에 질병까지 많이 발생하기 때문에 伽藍을 설치하게 되었으니 가람 설치의 유래가 여기에있는 것이다. 후인 중 이 암자에 거처하는 자는 가람 창설의 의의를 본받아 선사의 노고를 깊이 생각하고 주야로 경문을 외우고 부처님을 생각하며 活句를 음미하여 한결같이 불사로 업을 삼는다면 만분의 일이라도 그 공덕에 보답할 수 있을 것이니 승도들이여! 마땅히 힘쓸지어다. 내가 운부암에 있을 때 이미 관련 사안의 전말을 알았기 때문에 글을 잘 쓰지 못한다는 이유로 감히 사양할 수 없어 이상과 같이 기술한다. 이 해庚戌: 1850 暮春음력 3월 高山沙門 宗夏 기술하다.

출처 : 은해사 성보박물관

## 7) 『이아爾雅』

神龜之象 上圓法天 下方法地 背上有盤法丘山 玄文交錯以成列宿 長尺二寸 明吉凶 不言而信者.

신귀의 모양은 위는 하늘을 본받아 둥글고, 아래는 땅을 본받아 네모지고 등 위는 언덕과 산을 본받아 높이가 낮고 접시 모양이 있으며 거무스름한 무늬가 서로 엇갈려 뒤섞여서 나열된 별자리를 이루며 길이는 1척 2촌인데 길흉을 밝히니 말하지 않아도 믿는다.

출전 : 한국고전종합DB https://db.itkc.or.kr/

### 8) 『상촌선생집象村先生集』 4권 「계지수행桂之樹行」

桂之樹

何團團

葉如翠羽茁

根似蒼虯蟠

威鳳宿其頂

縞鶴遊其間

桂之樹

何葱葱

何來廣成翁

棲止桂樹

貽我刀圭

迪我玄風

斑麟車素霓旌

白日沖雲空

계수나무여

어이 그리 이슬 맺혔나

잎은 자라나는 물총새 깃 같고

뿌리는 서려있는 푸른 용 같은데

위엄 있는 봉은 꼭대기에 깃들고

흰 학은 그 사이에 노닐드다

계수나무여

어이 그리 푸르른고

어디서 온 광성옹廣成翁이

계수나무 동쪽에 거처하건서

나에게 도규를 주고

나를 현풍으로 인도한지라

얼룩 기린 수레에 흰 무지개 깃발을 꽂고

백일청천에 하늘을 오르도다.

출전 : 한국고전종합DB https://db.itkc.or.kr/

9) 『양촌집陽村集』「기린굴麒麟窟」

山前窟穴最深幽

楢眞人昔此留

麒麟自馴天上至

鬼神爲導地中遊

冥冥有路通仙府

渺渺無犧絶俗流

語怪縱然非聖道

題詩聊記所傳由

산 앞에 굴이 뚫겨 깊고도 그윽하니

옛적의 진인이 살던 데라 얘기하네.

기린이 저절로 천상에서 내려오자

귀신이 인도하여 땅속에 노닐었다고
뵐 듯 말 듯 길이 나서 신선 마을로 통하고
아득아득 자취 없어 속세와 끊어졌네
괴이는 성인도 말 않는다고 했지만은
시 쓰자니 전설의 유래를 다룰 걸세

출전 : 한국고전종합DB https://db.itkc.or.kr/

## 10) 『태종실록太宗實錄』 권 제36 태종 18년 11월 8일 갑인 조
: 예문관 대제학 변계량이 찬한 태종의 신도비문

乾健離明, 恭定之德. 坤厚柔貞, 元敬之則. 琴瑟以友, 藏同其域. 子孫振振, 于嗟其麟. 綿綿宗祀, 垂億萬春. 臣拜獻詞, 刻之貞珉. 萬代不磨, 照我東垠.

"하늘처럼 건전하고 밝으심은 공정 대왕恭定大王의 덕德이요, 땅처럼 후厚하고 바르심은 원경왕후元敬王后의 법칙이네. 살아서는 금슬琴瑟의 벗이요, 죽어서는 같은 땅에 묻히었네. 자손이 번성하니, '아아! 그 기린麒麟같은 자손이 끊이지 않고 종묘 제사를 억 만 년 이어가리.'하였다. 신이 절하고 사詞를 바치니 굳고 단단한 돌에 새기어 만세토록 마멸磨滅되지 않고, 우리 동방東方에 비추게 하소서."

출전 : 국사편찬위원회 한국사데이터베이스 http://db.history.go.kr

## 11) 『정조실록正祖實錄』 권 제18 정조 8년 12월 5일 병술 조

**부칙사가 칠언율시 2수를 올리다**

箕疇衍化夙敦仁, 秉悋尤聞布治新. 入境山川覘獻秀, 行程信宿坐如春. 篤循禮義風存古, 廣敎詩書學尙醇. 此日自天申錫重, 綿綿奕業慶長臻. 匝月星軺載路皇, 開筵每令醉瓊觴. 邦華起鳳騰文蔚, 國瑞徵麟衍緒長. 重列珍羞隆勑使, 精摹寶篆表宸章. 歸金回首瞻松岳, 何幸東都得禮王.

부칙사副勅使가 칠언율시七言律詩 2수首를 올렸는데, 시에 이르기를, "기자가 어진 교화를 베풀었다는, 오랜 역사의 나라에 제후의 도리를 잘 지켜오지만, 들려오는 정사 더욱 새로워라. 국경에 들어서자 눈에 안기는 건 수려한 산천이고, 며칠 동안 나그네길에 따뜻한 정 봄기운이 완연하다. 올바른 예절을 앞세우니 옛날 풍속 남아 있고, 널리 퍼진 글공부는 학문의 길도 순수하여라. 하늘에서 주는 복 오늘 따라 거듭되니, 영원한 나라 운수 앞에 끊임없는 경사는 흘러들리라. 달빛 밝은 사신길 황제의 지시 받들고 나와, 연회를 베풀 때마다 그윽한 술향기에 취한다네. 많은 선비를 봉황새인양 나라의 문화 찬란하고, 번성한 자손은 기린이런가 왕업의 운수 끝이 없어라. 먼 나라에서 온 사신 위해 연회상도 넘쳐 나는데, 황제의 글과 글씨, 모사한 손씨 정교하여라. 떠나가는 길 머리 돌려 숭악산 바라보니, 얼마나 큰 영광이랴. 동쪽 나라 임금을 뵈었다네."하였다.

출전: 국사편찬위원회 한국사데이터베이스 http://db.history.go.kr

## 12) 『영조실록英祖實錄』 권 제35 영조 9년 8월 6일 갑인 조
: 남원 괘서 사건의 죄인들을 신문하다

鳳禧曰: "草價貢生之說, 吾始覺得矣. 文官崔雲龍之子, 言於吾曰: '北道有牛生麟, 聖人將出. 官文書來到於獒樹察訪.' 云, 故吾亦罪之, 汝必以此所聞, 反歸於吾之所傳矣."

최봉희가 말하기를, "초가·공생에 대한 말은 내가 이제야 생각이 난다. 문관文官 최운룡崔雲龍의 아들이 나에게 말하기를, '북도北道에서 소가 기린麒麟을 낳은 일이 있으니, 성인聖人이 장차 나올 것이다. 관문서官文書는 오수 찰방獒樹

察訪에게로 전해 왔다.'고 했기 때문에 나도 또한 들었는데, 너는 반드시 이 소문所聞을 도리어 내가 전한 것으로 돌리는 것이다."

출전: 국사편찬위원회 한국사데이터베이스 http://db.history.go.kr

## 13) 『태종실록太宗實錄』 권 제22 태종 11년 윤12월 25일 신사 조

### 예조에서 올린 인군과 신하가 잔치하는 예도와 악장의 차례를 의논하다

右副代言趙末生曰: "麒麟之生, 異於犬羊; 神人之生, 異於常人, 故美稷之生者曰履帝武敏歆, 美契之生者曰天命玄鳥, 今《受寶籙》, 《夢金尺》, 實太祖受命之符也. 以爲樂章之首, 未爲不可, 况此禮乃萬世君臣同宴之樂, 必推源太祖之德, 而先歌之可也. 若以《夢金尺》, 《受寶籙》, 不可爲樂章之首, 則當以紀太祖實德之曲爲首, 而次之以《夢金尺》, 《受寶籙》, 然後次之以《覲天庭》, 《受明命》亦可也."

우부대언右副代言 조말생趙末生은 말하였다. "기린麒麟의 태어남은 개와 양과 다르고 신인神人의 태어남은 보통 사람과 다릅니다. 그러므로 직稷의 태어남을 찬미하는 자가 말하기를, '상제上帝의 발자취를 밟고 빠르게 흠동歆動하였다.'하였고, 설契의 태어남을 찬미하는 자가 말하기를, '하늘이 현조玄鳥를 명하였다.'하였으니, 지금 보록을 받고 금척을 꿈꾼 것이 실상 태조가 천명을 받은 부험符驗이니, 악장樂章의 첫머리를 삼는 것이 불가할 것이 없고, 하물며, 이 예는 만대萬代의 군신이 함께 잔치하는 악장이니, 반드시 태조의 덕을 미루어 근원하여 먼저 노래하는 것이 가할 것입니다. 만일 몽금척·수보록으로 악장의 첫머리를 삼을 수 없다면, 마땅히 태조의 실덕의 곡조로 첫머리를 삼고, 몽금척·수보록으로 다음을 삼은 뒤에 근천정·수명명으로 다음을 삼는 것이 또한 가할 것입니다."

출전: 국사편찬위원회 한국사데이터베이스 http://db.history.go.kr

## 14) 『모시정의毛詩正義』

鄭言古太平致麟之時者, 案中候握河紀云 "帝軒題象, 麒麟在囿." 又唐傳云 "堯時, 麒麟在郊藪."
又孔叢云 "唐. 虞之世, 麟. 鳳遊於田." 由此言之, 黃帝. 堯·舜致麟矣. 然感應宜同, 所以俱行關雎之仁, 而致否異者, 亦時勢之運殊. 古太平時, 行關雎之化至極, 能盡人之情, 能盡物之性, 太平化洽, 故以致麟.

정현[鄭]이 말한 '옛날 태평하여 기린을 나오게 하던 때'란 살펴보면, ≪尙書中候≫〈握河紀〉에는 "黃帝 軒轅氏가 帝位에 있을 대에 기린이 園林에 있었다." 하고, 또 ≪尙書大傳≫〈唐傳〉에는 "堯임금 때에 기린이 교외 초원에 있었다." 하고, 또 ≪孔叢子≫에는 "唐. 虞時代에 기린과 봉황이 들에서 노닐었다." 하였으니, 이로 말미암아 말해 본다면 黃帝와 堯·舜임금 때에 기린을 나오게 한 것이다.

## 15) 『상촌고象村稿』「조롱수朝隴首」

朝隴首 舉蒐典 羃白麟 入我獼   麕之身 馬之蹄 伏虎豹 臣狻猊   來何自 天所畀 王者瑞 表靈異   駿皇輿 服前驅 晨大漠 夕中州   于嗟麟 不世出 於萬年 寧漢室

아침에 농산 꼭더기에서 사냥을 거행하였노니
아 하얀 기린이 우리 손에 들어왔네
몸은 노루와 같고 발굽은 말발굽 같은데 범과
표범을 굴복시키고 사자를 신하처럼 부리도다.
어디로부터 왔는고 하면 하늘이 주신 것이니
왕자의 상서로서 영이함을 드러낸 것이로다.

황제의 수레에 채워 앞잡이로 삼고서

아침엔 대막까지 갔다가 저녁엔 중주로 돌아오도다.

아 기린이여 세상에 늘 나오지 않나니

아 만년토록 한실을 편안하게 하리라.

출전 : 한국고전종합DB https://db.itkc.or.kr/

### 16) 『성종실록成宗實錄』 권 제83 성종 8년 8월 30일 갑자 조
: 승문원 부정자 조지서가 강무의 정지에 관하여 상소하다

聖上當遵養時, 撫綏赤子, 家詩書而戶禮義, 藪麟鳳而園莫芝, 然後閱車馬, 獮禽獸, 未有晚也, 奈何治國不出十年, 而以講武以爲尙乎

성상께서는 마땅히 오늘날의 제도를 준양遵養하시고 백성들을 어루만져 편안케 하시어, 집집마다 시서詩書를 읽고 호호戶戶마다 예의禮義를 지키며, 숲속에는 기린麒麟과 봉황鳳凰이 깃들고, 동산에는 명지莫芝가 난 연후에 거마車馬를 사열하시고 금수禽獸를 사냥하셔도 늦지 않을 것인데, 어찌하여 나라를 다스린 지 10년이 못 되어서 강무講武를 숭상하십니까?

출전 : 국사편찬위원회 한국사데이터베이스 http://db.history.go.kr

# 제6장 은해사가 품고 있는 암자 이야기

### 1. 운부암, 묘법하를 일구었던 선지식들의 수행도량

#### 1)『태재집泰齋集』

獨訪雲浮寺 禪房靜可依
谷深車馬少 僧老歲年遲
竹影侵虛榻 松風透薄衣
山靈應不昧 結社會如期

혼자서 운부사를 찾아가니 선방 고요하여 의지할 만하네
골짜기 깊어 수레와 말이 적고 노승은 나이 먹는 법을 잊었도다.
대나무 그림자 빈 걸상을 드리우고 솔바람은 엷은 옷에 사이로 불어오누나
산의 신령스러움이 응당 어둡지 않으니 결사의 모임을 기약하네

출전 : 한국고전종합DB https://db.itkc.or.kr/

### 2. 우리네 모습이 담겨 있는 오백나한 도량, 거조사

### 3. 사바세계에 머물러도 마음은 극락, 기기암

## 4. 영험한 수행도량이자 산신山神터, 묘봉암

### 1) 『가산고伽山藁』 「석담대사상찬石潭大師像讚」 1852

| | |
|---|---|
| 妙峯海上 | 은해사 위 묘봉암 |
| 孤岑石潭 | 외로이 봉우리에 선 석담은 |
| 禪門之彪 | 선문의 호랑이 무늬이다. |
| 窈窕春晝 | 한적한 봄날의 |
| 闃靜雲關 | 고요한 구름 빗장 |
| 嫣然一幅 | 우아한 한 폭의 그림이 |
| 大師容顔 | 바로 대사의 얼굴이니라. |
| 畫裡瞻想 | 그림 속에서 우러러보는 건 |
| 七分之間 | 아련함이다. |

출전 : 불교기록문화유산아카이브 https://kabc.dongguk.edu

## 5. 바위틈 사이를 지나 중암암 이야기 속으로

### 1) 『삼국사기三國史記』 권 제41 「열전列傳」편 김유신金庾信 조
: 중악 석굴에서 난승을 만나 비법을 전수 받다

真平王建福二十八年辛未, 公年十七歲, 見高句麗 · 百濟 · 靺鞨侵軼國疆, 慷慨有平寇賊之志, 獨行入中嶽石崛, 齊戒告天盟誓曰, "敵國無道, 爲豺虎, 以擾我封場, 略無寧歲. 僕是一介微臣, 不量材力, 志淸禍亂, 惟天降監, 假手於我." 居四日, 忽有一老人, 被褐而來曰, "此處多毒蟲 · 猛獸, 可畏之地, 貴少年爰來獨處, 何也." 答曰, "長者從何許來, 尊名可得聞乎.' 老人曰, "吾無所住, 行止隨緣, 名則難勝也." 公聞之, 知非常人, 再拜進曰, "僕新羅人也. 見國之讎, 痛心疾首. 故來比, 冀有所遇耳. 伏乞, 長者憫我精誠, 受之方術." 老人默然無言. 公涕淚懇請不倦, 至于六七. 老人乃言曰, "子幼而有幷三國之心, 不亦壯乎." 乃授以秘法曰, "愼勿妄傳. 若用之不義, 反受其殃." 言訖而辞, 行二里許, 追而望之, 不見, 唯山上有光, 爛然若五色焉.

진평왕 건복 28년 신미辛未; 611년, 진평왕 33년에 공의 나이는 17세였다. [공은] 고구려와 백제, 말갈靺鞨이 나라의 강역을 침범하는 것을 보고 비분강개悲憤慷慨하여 침입하는 외적外賊을 평정할 뜻을 품었다. 홀로 중악中嶽의 석굴에 들어가 재계齋戒하고 하늘에 맹서盟誓하기를, "적국敵國이 무도無道하여 승냥이와 범처럼 우리의 강역을 어지럽혀 평안한 해가 거의 없습니다. 저는 한낱 보잘것없는 한미한 신하로서 재주와 힘을 헤아리지 않고 재앙과 난리를 없애고자 하는 뜻을 품었사오니, 하늘께서 굽어 살피시어 저에게 도움을 주시옵소서."라고 하였다.

[석굴에] 머문 지 4일이 지나 홀연히 한 노인이 거친 베옷을 입고 나타나 말하기를, "여기는 독충毒蟲과 맹수猛獸가 득실거리는 무서운 곳이다. 귀한 소년이 여기에 와서 혼자 있는 것은 무엇 때문인가?"라고 하였다. [유신이] 대답하여 말하기를, "어르신께서는 어디서 오셨습니까? 존함을 가히 들을 수 있겠습니까?"라고 하였다. 노인이 말하기를, "나는 일정하게 머무는 곳이 없고 인연에 따라가고 머물며 이름은 난승難勝이다."라고 하였다. 공이 이 말을 듣고, [그가] 보통 사람이 아님을 알았다. [그에게] 두 번 절하고 나아가 말하기를, "저는 신라 사람입니다. 나라의 원수를 보니 마음이 아프고 머리에 근심이 가득 차서 일부러 이곳으로 와 [귀한 인연을] 만나기를 바랐습니다. 엎드려 바라옵건대 어르신께서 저의 정성을 가엽게 여기셔서 방술方術을 가르쳐주시옵소서."라고 하였다. 노인은 잠자코 말이 없었다. 공이 눈물을 흘리며 간청하기를 그치지

않고 예닐곱 번이나 하였다. 노인이 그제야 이르기를, "그대는 나이가 아직 어린데도 삼국을 병합할 뜻을 품었으니, 또한 장하다 하지 않으랴."라고 하고, 이윽고 비법非法을 가르쳐주고 말하기를, "삼가 함부로 전하지 말라. 만약 의롭지 않은 일에 쓴다면, 도리어 재앙을 받을 것이다."라고 하였다. 말을 마치고 작별하였는데, [노인이] 2리里 쯤 갔을 때에 쫓아가 바라보았으나 [노인은] 보이지 않고, 오직 산 위에 오색五色 찬란한 빛만이 비출 뿐이었다.

출전: 국사편찬위원회 한국사데이터베이스 http://db.history.go.kr

## 6. 상서로운 구름이 흐르는 서운암

# 제7장 은해사 고승전

## 1. 경산삼성慶山三聖과 은해사

### 1) 『삼국유사三國遺事』 권 제4 「의해義解」편 원효불기元曉不羈 조 일연, 1281
: 원효의 특이한 사적

師嘗一日風顚唱街云, "誰許没柯斧. 我斫支天柱." 人皆未喻, 時太宗聞之曰, "此師殆欲得貴婦産賢子之謂爾. 國有大賢利莫大焉." 時瑶石宫 今學院是也. 有寡公主. 勅宫吏覓曉引入. 宫吏奉勅將求之, 已目南山來過蚊川橋 沙川, 俗云年川又蚊川, 又橋名楡橋也. 遇之. 佯墮水中濕衣袴, 吏引師於宫褫衣曬眼, 因留宿焉. 公主果有娠生薛聰.

성사는 일찍이 어느 날 상례에서 벗어나 거리에서 노래를 부르기를, "누가 자루 빠진 도끼를 허락하려는가? 나는 하늘을 받칠 기둥을 다듬고자 한다."라고 하였다. 사람들이 모두 [그] 뜻을 알지 못했는데, 이때 태종太宗이 그것을 듣고서 말하기를, "이 스님께서 아마도 귀부인을 얻어 훌륭한 아들을 낳고 싶어 하는구나. 나라에 큰 현인이 있으면 그보다 더한 이로움이 없을 것이다."라고 하였다.

그때 요석궁瑶石宮 [지금의 학원學院이 이곳이다.]에 홀로 사는 공주가 있었다. 궁중의 관리를 시켜 원효를 찾아서 [궁중으로] 맞아들이게 하였다. 궁중의 관리가 칙명을 받들어 그를 찾으려고 하는데, 벌써 [그는] 남산南山에서 내려와 문천교蚊川橋 [사천沙川이나, 세간에서는 연천年川 또는 문천蚊川이라고 하고, 또 다리 이름을 유교楡橋라고 한다.]를 지나고 있어 만나게 되었다. [그는] 일부러 물에 떨어져 옷을 적셨다. 관리는 스님을 궁으로 인도하여 옷을 벗어 말리게 하니, 이 때문에 [그곳에서] 묵게 되었다. 공주가 과연 태기가 있어 설총薛聰을 낳았다.

<sub>출전: 국사편찬위원회 한국사데이터베이스 http://db.history.go.kr</sub>

## 2. 영파성규影坡聖奎, 은해사에 화엄을 펼치다

### 1) 「은해사영파대사비銀海寺影波大師碑」

永川 銀海寺影波大師碑
有明朝鮮國影波大師碑銘(篆 題)
有明朝鮮國禪敎兩宗正事華嚴大講主影波大師碑銘幷　序

輔國崇祿大夫行判中樞府事兼吏曹判書判義禁府事弘文館大提學藝文館大提學知
經筵春秋館成均館事　　世子左賓客五衛都摠府都摠管　　奎章閣提學南公轍撰
奉列大夫行典牲署副奉事沈宜慶書
將仕郞繕工監假監役俞漢芝篆

我東方佛法之盛昉自羅麗名藍巨刹相望諸道逮至本朝儒賢輩出斥佛之論始盛
而間有樹立傑然者則士大夫公言顯誦而進之若西山大師休靜是已粤在.
宣廟壬辰倭充斥車駕播越當是時西山慨然倡義旅談笑而揮之又進其弟子惟政
奉使日本和議遂成社稷賴以復安其忠君衛國之誠固已令冠儒服儒者吐舌矣.
厥後衣鉢相傳六世而有影波大師焉潛受戒珠密傳心印其誦經之勤持律之嚴非

徒軌範禪門矜式僧徒況贂其恭具香燭每夜頂禮仰祝聖主之壽至老不廢如非君臣之大義根於秉彛者烏能與於.

此乎大師法名聖奎字晦隱俗姓全氏高麗玉山君永齡之十六世孫也父曰萬紀母凝川朴氏夢大星入懷而有娠以英廟戊申十一月十一日生兒時命名泰夢以表其異.

大師生標奇骨卓越凡流年十五讀書於淸凉菴見供佛時諸僧回旋膜拜若有妙悟宿因忽發捨身之願越四年辭家至湧泉寺自投五體虔請出家喚應長老愛而許之遂令削染遽授戒津是夜夢見披緇老釋立于階前鳴磬作禮者三自.

是四遠叅尋雲遊言方道歷叅海峰燕巖龍坡影虗諸名師服膺其敎勤苦得力一日忽思曰釋門闡敎者以頓悟爲先.

乃於金剛臺設伊蒲盛供滌潔道場仰祈觀音法力旣罷齋夢入一室見佛書滿架裝潢鮮淨盡是華嚴經傍有老僧指曰道在是矣越九年黃山退隱長老一見而心契以華嚴全部授之摩挲粧卷果符前夢

讀之旣熟仍探重玄之理究衆妙之旨者三十年如一日譬之儒家其所謂眞實心地刻苦工夫者耶嘗謂禪工持誦爲最以普賢觀音兩菩薩爲願佛致齋尤勤又自戊戌至辛丑誦大悲呪十萬遍日以爲課自甲戌以來叅雪坡涵月二和尙盡得華嚴宗旨及禪敎要領仍受信衣登壇盖空門之淵源有自來.

矣壬辰七月二十七日以微疾示寂報齡八十五僧臘六十有六先是夢見天狗星問己窮達壽夭則答曰名滿東國達而不窮壽至八十加五至是果驗火浴之夕靈雨霏微祥雲翳空.

于時慕義者寄聲相吊受業者銜悲以泣是豈無所以而然耶憶師之禀性溫柔志氣淸明喜怒不形於色貨利不縈於懷由是早棲淨土久離客塵慈航寶筏普濟衆生貧病到門若恫在己或有來丐者則隨力賙給少無難色故食客之屨恒滿戶外.

自少律己最嚴每日必整衣跏趺不設惰容平生不言人是非恂恂退讓非其義則一芥不以取諸人尤

豈不難.

哉至若西經千函腹貯其笥東南名刹足跡殆遍所化徒衆不翅千百師之風聲無往不布若此者雖古之名釋無以加此矣前後夢徵頗異且念大師必不虛張而欺世此亦略書焉.

弟子知添卽其高足也自垂髫時常遊其門有所觀感者溪今焉永切追攀謀樹豐碑撮其耳目之所睹記走其徒夢弼碩旻等褁足千里請文於余閱累年而益勤余於禪家文字未嘗數數爲之而至如西山泗溟竊有曠感者存曾撰紀績之碑矣大師之於西山泗溟寔爲嫡傳而且其中有貞不絶俗者存焉烏可無述乎遂不辭而爲之文係之以銘曰.

維此禪伯沙門之傑
葱嶺宿根華嚴妙訣
水月澄懷烟霞怡神
莊蝶栩栩非幻卽眞
密受秘印旋登法壇
淨室止水作如是觀
上溯淵源旁連津筏
一念慈悲不自爲伐
律身之嚴無愧吾儒
仁者必壽理不可誣
因果方圓法棟俄摧
人亡道存緇素興哀
睠彼山門龜頭十尋
我作銘辭永垂祇林

崇禎紀元後三丙子六月 日立

유명有明 조선국朝鮮國 선교양종정사禪敎兩宗正事 화엄대강주華嚴大講主 영파대사影波大師 비명碑銘 서문을 병기함.

보국숭록대부輔國崇祿大夫 행 판중추부사行判中樞府事 겸兼 이조판서吏曹判書 판의금부사判義禁府事 홍문관대제학弘文館大提學 예문관대제학藝文館大提學 지경연知經筵 춘추관성균관사春秋館成均館事 세자좌빈객世子左賓客 오위도총부도총관五衛都摠府都摠管 규장각제학奎章閣提學 남공철南公轍이 찬술하였고, 봉렬대부奉列大夫 행 전생서부봉사行典牲署副奉事 심의경沈宜慶이 글씨를 썼고, 장사랑將仕郎 선공감가감역繕工監假監役 유한지俞漢芝가 전액篆額을 썼다.

우리 동방에 불법佛法이 성대하였던 것은 신라와 고려 때로부터이니 이름나고 거대한 사찰들이 여러 드에 즐비하였다. 그런데 본조조선에 이르러 유학자들이 출현하여 척불론斥佛論이 비로소 성대해지기 시작하였지만, 스님들 중에 간간히 대단한 업적을 수립한 자가 있으면 사대부들도 그 공적을 갈하고 드러내 칭송하였다. 서산대사西山大師 휴정休靜과 같은 이가 바로 그 분이시다.

선묘宣廟 임진년선조 25, 1592년에 왜군이 쳐들어오니 임금의 거가車駕가 몽진을 떠나시게 되었다. 바로 이때에 서산대사께서는 분거하여 의병을 일으켜서 담소를 나누듯 순조롭게 그들을 지휘하였고 그의 제자 유정惟政을 천거하여 일본日本에 사신으로 보내서 화의和議가 드디어 이루어지자 사직社稷이 그것에 의거해 평안함을 희복하였다. 그가 임금에게 충성하고 국가를 보호하려는 참된 마음은 진실로 유자들로 하여금 이미 여기저기서 칭찬이 끊이지 않도록 하였다.

그 뒤에 의발衣鉢이 전해져 내려가기를 6세가 지난 듸에 영파다사影波大師가 이를 이어 받았다. 은밀히 계주戒珠를 이어받고 또 심인心印을 전수 받았다. 그는 경을 열심히 외었으며 엄격히 율을 지켰으니 선문禪門의 궤범이 될 뿐만 아니라 승도들의 모범이 되었다. 게다가 그는 향촉香燭을 공경히 갖추어 놓고 매일 밤 성주聖主의 장수를 위하여 부처님께 절하며 빌었는데 늙도록 그만두지 않았다는 소식을 들었으니 이는 만일 군심의 대의가 떳떳한 이치에 뿌리를 둔 것이 아니라면 어찌 이러한 일을 할 수 있었겠는가.

대사께서는 법명法名이 성규聖奎이고 자字가 회은晦隱이며 속성俗姓은 전씨全氏이다. 고려高麗 옥산군玉山君 영령永齡의 16세 손이었다. 아버지는 만기萬紀이고 어머니는 응천凝川 박씨朴氏이었다. 어머니는 꿈에 큰 별이 품 안으로 들어와서 회임하였으므로, 영묘英廟 무신戊申년영조 4, 1728년 11월 11일에 아이를 낳았을 때 태몽泰夢이라고 명명命名하여 그 기이함을 드러내었다.

대사님은 날 때부터 타고난 기골이 일반 사람들보다 탁월하였다. 나이 15세에 청량암淸凉菴에서 독서하였는데 부처님에게 예를 올릴 때 여러 스님들이 둘레를 돌며 절을 올리는 것을 보고 마치 묘한 묵은 인연이 있는 듯이 홀연히 몸을 버리겠다는 원願을 내었다. 4년 뒤에 집을 떠나 용천사湧泉寺 용천사湧泉寺에 이르러 스스로 오체五體를 던져 정성스레 출가出家를 청하니, 부름을 받아 응하였던 장노長老가 그를 사랑하여 허락하였다. 그로 하여금 드디어 삭발하게 하고 갑자기 계율戒律을 받게 하였다. 이날 밤 꿈에 검은 옷을 입은 늙은 스님이 계단 앞에 서서 경쇠를 울리고 예를 세 번 올리는 것을 보았다.

이때부터 사방으로 멀리 스승을 찾아서 구름 따라다니며 도를 물었다. 해봉海峰, 연암燕巖, 용파龍坡, 영허影虛 등 여러 유명한 스님들을 찾아가서 열심히 고생하며 그들의 가르침에서 득력하였다. 어느 날 홀연히 생각이 떠올라 말하기를, "불가에서 가르침을 펴는 것은 돈오頓悟를 우선으로 한다."고 하였다.

마침내 금강대金剛臺에 부들을 깔고 성대한 음식을 차려 놓고 도량을 청결히 하고나서 관음觀音의 법력法力을 우러러 기원하였다. 재를 마친 뒤에 꿈에서 "한 방으로 들어가서 보기를 불서佛書가 책꽂이에 가득하고 장황裝潢이 선명하고 깨끗하였으니 전부『화엄경華嚴經』이었다. 곁에 노승老僧이 있어서 가리켜 말하기를, '도는 여기에 있다.'고 하였다." 9년 뒤에 황산黃山에서 물러나 숨은 장노가 한번 만나 마음이 맞자『화엄경』전부를 주었는데 마사장권摩挲粧卷으로 과연 전데 꿈과 딱 들어맞았다.

읽으니 이미 익숙하여 오묘한 이치를 탐구하였고 여러 묘한 뜻을 본 지 30년이 지내기를 하루와 같이 하였으니 유가에서의 이른바 진실한 마음으로 각고로 공부한 것에 비견할 수 있을 것이다. 일찍이 선공부에는 지송持誦이 제일이므로 보현普賢과 관음觀音 두 보살菩薩을 원불願佛로 삼아서 치재致齋하는데 더욱 열심히 하였고 또 무술년으로부터 신축辛丑년 대비주大悲呪를 외기를 10만 번 하였는데 날마다 과제를 정하였다. 갑술년 이래로 참여한 설파雪坡와 함월涵月 두 화상和尙이 화엄華嚴의 종지宗旨 와 선교禪敎 요령要領을 다 터득하고서 신의信衣를 받아서 단에 올랐다. 대개 공문空門의 연원淵源이 이로부터 있었다.

임진년 7월 27일에 작은 병으로 입적하셨으니 연세가 85세였고 승납僧臘은 66세였다. 이에 앞서 꿈에서 천구성天狗星을 보고, 자기가 장수할 것인지 일찍 죽을 것인지를 자신에게 물으니 답하기를, "이름이 동국에 가득 차서 달하여도 다하지는 못할 것이다. 85세까지 살 것이다."라고 하였는데 여기에 이르러 보니 과연 맞아떨어졌다. 화욕火浴의 저녁에 영험한 비가 부슬부슬 내리고 상서로운 구름이 허공을 가렸다.

이때에 의를 사모하는 자는 소리를 내어 조문하였고 업을 받은 사람들은 슬픔을 삼키고 흐느껴 울었으니 이것은 어찌 그렇지 않을 수 있겠는가. 희噫라, 스님은 품성이 온유하였고 지기가 맑고 밝았으며 희노애락이 얼굴에 드러나지 않았으며 재화에 대한 욕심이 마음에 없었다. 이 때문에 일찍이 깨끗한 땅에 머물면서 오래도록 객진客塵을 떠나서 자애로운 향해에 보배로운 뗏목을 타고 두루 중생衆生을 구제하였다. 가난하고 병든 사람이 문에 이르면 진심으로 상심하였고 혹시라도 와서 구걸하는 사람이 있으면 힘이 닿는 데까지 도와주었으며 조금이라도 난색을 표시하는 일이 없었으므로 식객의 신발이 항상 집밖에 가득 찼다.

  어렸을 적부터 자기를 단속하기를 매우 엄격히 하여 매일 반드시 옷을 바르게 입고 가부하여 앉아서 게으른 용모를 보이지 않았다. 평생 다른 사람의 옳고 그름을 언급하지 않았고 진실로 물러나 겸양하였다. 그 의가 아니면 조금이라도 다른 사람에게서 취하지 않았으니 더욱 어찌 어렵지 않겠는가.

  서경西經 천착千鑿은 그의 책 상자에 보관되어 있고 동쪽과 남쪽의 명찰에도 그의 족적이 두루 거쳐 갔고 교화 받은 승도와 대중들만도 천만이 될 뿐 아니라 스님의 풍성이 유포되지 않은 곳이 없다. 이와 같은 자는 비록 옛적의 명승이라고 하더라도 더 더할 것이 없다. 앞뒤의 꿈에서 나타난 징조는 자못 기이하고 생각해 볼 것이 있다. 대사는 필시 허장하게 세상을 속이거나 하지는 않았을 것이므로 여기에서도 대략 썼다.

  제자弟子 지첨知沾은 곧 그의 고족이다. 다박머리를 내리고 있을 때부터 늘 그의 문을 들락거렸으므로 보고 느낀 바가 깊었으므로 지금 영원하고 절실하게 옛일을 추모하며 풍비豐碑를 세울 것을 모의하여 그가 눈과 귀로 직접 보고 들은 것을 뽑아서 그의 제자인 몽필夢弼과 석민碩旻 등을 다리를 싸매고 천리를 달리게 하여 나에게 글을 청하였다. 수년을 거치는 동안 더욱 열심히 하였으므로 나는 선가禪家의 문자文字에 일찍이 자주 쓴 적은 없었지만 서산西山과 사명泗溟에 대하여 삼가 감동한 바가 있어서 일찍이 찬술한 그들의 비적비를 보존하고 있있다. 대사大師는 서산西山과 사명泗溟에 대하여 적적嫡傳이고 또 그 가운데 올곧아 속세와 끊지 않는 점이 있으니 어찌 서술하지 않을 수 있겠는가. 드디어 사양하지 못하고 글을 쓴다.

  명은 다음과 같다.


  이 선백禪伯께서는 사문沙門의 위대한 분이시니
  총령葱嶺의 묵은 뿌리 화엄의 묘결이로다.

물 속의 달 마음을 맑히고 연기처럼 피어오르는 안개 정신을 편안케 하는구나.

장자의 나비가 나풀나풀, 환상이 아니면 현실이겠지

은밀히 비밀스러운 심인을 받고서 문득 법단에 올랐구나.

깨끗한 방에서 물처럼 고요하나니 짓는 일이 이처럼 보기를

위로 연원을 거슬러 올라가니 그 둘레 나룻배에 이르렀네.

자비에 일념을 두었을 뿐 스스로 떠벌리지 않네.

자신을 규율하는 엄격함은 우리들 유가들에게 부끄럽지 않네.

인자는 반드시 장수하니 그 이치를 속일 수 없네.

인과因果와 방원方圓 법동法棟이 꺾였구나.

사람은 죽어도 법은 남아서 검은 것과 흰 것은 흥하고 사라지네.

저 산문山門을 바라보니 귀두龜頭가 열 길이네.

나는 명의 글을 적어서 영원히 기림祇林에 드리우리라.

숭정기원후 세 번째 병자년순조 16, 1816년 6월에 날을 잡아 비를 세웠다.

출전: 국립문화재연구원. https://portal.nrich.go.kr/

## 2) 『동사열전東師列傳』 「영파·강사전影波講師傳」

師名聖奎. 號影波. 涵月之嗣. 喚醒之孫. 陝川海印寺人也. 少有智畧. 編覽九流. 筆叅李圓嶠. 龍蛇飛走. 說如來禪祖師禪. 旁若無人. 金山元浮山遠. 頡之頏之. 衆不召而亦歸. 聲不沽而市聚. 轉山涉川. 無不仁錫. 設大法會於頭輪山藥師殿. 會罷. 結夏於新月. 結冬於眞佛. 題詩於枕溪樓眞佛庵. 贈悟大師詩幷序曰. 湖南大芚寺悟上人. 隨玩虎室來見. 袖出蓮老律. 示之. 求和而老不能究. 以禪偈示之曰.

七日關中亦有言
威音雷若震乾坤
欲聆無說傳千古
秋夜寒鍾掛寺門

甲子秋. 洛東門人聖波書.
弟子贈詩曰.

湖南勝友嶺南遊
訪我小山雪滿樓
萬二金剛無限景
紅棠去路問眠鷗

庚午孟春. 嶺南雪虛稿.
門人十一人. 雪虛居首. 大宗師斗芸曰.

스님의 법명은 성규聖奎이고 호는 영파影波이다. 함월涵月의 법통을 이은 제자이고 환성喚醒의 법손이다. 합천 해인사 인근 마을 출신이다.

스님은 어려서부터 지략이 뛰어나 구류九流의 학문을 두루 열람하였고 글씨도 뛰어나 이원교李圓嶠의 문하로 참예할 정도였는데, 그의 필법은 용이 하늘을 날듯 뱀이 앞으로 내달리듯 하였다. 스님은 또 여래선如來禪과 조사선祖師禪을 거침없이 말하였는데 방약무인하기가 마치 금산원金山元과 부산원浮山遠처럼 대범하고 거리낌이 없으므로[頡頏], 대중들은 부르지 않아도 물이 바다로 모여들듯 밀려오고 명성을 팔지 않아도 늘 문전은 저자를 이루었다.

산을 넘고 물을 건너 어느 절이든 주석住錫하지 않은 곳이 없었으며, 두륜산 약사전藥師殿에서 크게 법회를 열기도 하였다. 법회를 마친 뒤에 신월암新月庵

에서 하안거를 결제하였고 진불암眞佛庵에서 동안거를 결제하였다. 침계루枕溪樓와 진불암眞佛庵에 시를 지어 써 붙이기도 하였다.

영파대사가 시오始悟대사에게 시와 그 시 앞의 서문을 써 주었는데 그 서문과 시는 이러하다.

"호남 대둔사 오 상인悟上人이 완호玩虎스님의 방으로 좇아와서 그를 보게 되었다. 그때 그는 소매 속에서 연담蓮潭 노스님의 율시律詩를 꺼내 보여 주면서 화답하는 시를 지어 달라고 하기에 나는 노쇠한지라 지어 주지 못하고 선게禪偈 하나를 그에게 보여 주었으니 그 시는 이러하다.

7일 동안 관중關中[서울]에서 설법이 있었으니
위엄스런 음성 우레 같아 천지를 진동했네
말없이 전한 천그千古의 진리 알고 싶으신가?
가을밤 싸늘한 종만 절 둔에 걸려 있구나

갑자년순조 4, 1804년 가을에 낙동洛東 문인 성파聖坡[影波]가 쓰다."
또 제자弟子 [雪虛]가 시오스님에게 써 드린 시도 있는데 이러하다.

"호남의 좋은 벗이 영남에 와서 노닐더니
소산小山으로 날 찾던 날 누각엔 눈이 가득했지
만 이천 금강산 끝없이 펼쳐진 경치
붉은 해당화 진 길에서 졸고 있는 갈매기에게 묻노라
경오년순조 10, 1810년 맹춘孟春[초봄]에 영남의 설허가 쓰다."

대종사 두운斗芸이 말하길, 문인이 11명 있었는데 설허가 그중 으뜸이었다.

출전: 불교기록문화유산0-카이브https://kabc.dongguk.edu

## 3. 운봉성수雲峰性粹, 은해사에서 출가 발심하여 근대 선지식이 되다

### 1) 『운봉선사 법어』 「출가出家」

害斷恩愛處
利氣衝天極
豁開胸襟時
傾寶施群生

모든 은혜 모든 사랑 끊어 버릴 때
용맹심은 하늘까지 사무쳤도다.
가슴속 활짝 열어 해탈하는 날
가장 좋은 보배를 중생들께 보시하리

출처 : 『운봉선사 법어』, 성보문화재연구원, 1998

### 2) 『운봉선사 법어』 「백암산 운문암 타몽白巖山雲門庵打夢」

出門驀然寒鐵骨
豁然消却胸滯物
霜風月夜客散後
彩樓獨在空山水

문밖에 나왔다가 갑작스레 차가운 기운이 뼛속에 사무치자
가슴속에 오랫동안 걸렸던 물건 활연히 사라져 자취가 없네.
서릿발 날리는 달 밝은 밤에 나그네들 헤어져 떠나간 다음
오색단청 누각에 홀로 있으니 산과 물이 모두 다 공하도다.

출처 : 『운봉선사 법어』, 성보문화재연구원, 1998

## 3) 『운봉선사 법어』

하루는 혜월선사께서 성수스님께 묻기를

"삼세의 모든 부처님과 역대 조사 스님들은 어느 곳에서 안심입명安心立命하고 계십니까?"

이에 혜월선사께서 양구良久:가만히 계심하셨다.

성수스님께서 냅다 한 대 치시면서 말하기를,

"산 용이 어찌하여 죽은 굴에 잠겨 있습니까?"

"그럼 너는 어쩌겠느냐?"

성수스님이 문득 불자拂子를 들어 보이시니 혜월선사께서는, "아니다."라며 부정하셨다.

이에 성수스님이 다시 응수應酬하시기를,

"스님, 기러기가 창문 앞을 날아간 지 이미 오래입니다."

하자, 혜월선사께서는 크게 한바탕 웃으시며,

"내 너를 속일 수가 없구나."하고 매우 흡족해 하셨다.

여기에서 혜월선사께서는 성수스님을 인가하시고는 호를 운봉雲峰이라 하며 임제정맥臨濟正脈의 법등法燈으로 부촉하여 전법게를 내리셨다.

付雲峰性粹　一切有爲法　本無眞實相　於相若無相　卽名爲見性　諸相本非相　無相亦無住　卽用如是理　此是見性人

운봉 성수에게 부치노라

일체 함이 있는 법은

본래로 진실한 상이 없는 것

모든 현상이 실상 없는 줄을 알면

곧 그대로가 견성이니라.

모든 현상은 본래로 상이 아닌 것
모양이 없고 또한 머무름도 없나니
이와 같은 이치를 바로 쓴다면
이것이 바로 견성한 사람이니라.


## 4. 동곡당 일타東谷堂 日陀, 율도량을 꿈꾸다

### 1) 「은해사 율도량으로 거듭 탄생」, 불교신문, 1994

계율에 대해 전문적으로 연구 강의하는 종립 율원이 생긴다. 개혁회의는 직영사찰로 지정했던 사고사찰 제10교구 본사 은해사를 계율근본도량으로 지정하고 그 책임자로 전계대화상인 율학의 최고 권위자 일타스님을 이미 지난 20일 주지로 임명했다. 선원, 율원, 강원 등 3원을 모두 갖춘 총림이 아니더라도 전문 강원이나 봉암사와 같이 종단 지정 선원은 이미 개설돼 운영되고 있었으나 계율근본도량인 율원이 생기는 것은 처음 있는 일. 종단내 전문 율원의 필요성은 이미 제기되었었다. 기존 총림에 있는 율원이 기능과 역할을 제대로 수행하지 못했기 때문이다. 일타스님이 전계대화상으로 추대되기 전부터 율주로 있었던 해인사조차도 율원생은 7명뿐으로 미약했다. 송광사 율원의 4명을 포함하면 현재 전국의 율원생은 12명뿐으로 선원과 강원의 수많은 학인, 수좌와는 비교도 안되는 적은 숫자다.

이처럼 율원생이 적은 까닭은 계율은 수계의식 때만 요식행위로 배우고 갖추면 된다는 인식과 특정인만 하는 것으로 생각하기 때문이라는 지적이다. 그러나 보다 근본적인 이유는 스님들의 사고 전반에 흐르는 계율 경시 풍조 때문이라는 의견이 지배적이다. 행동과 사고를 제약하는 2백50계비구 3백48계비구니를 비롯 율장에 담겨 있는 많은 종류의 계율을 알아야 하고 지켜야 된다는 것은 변화된 현대의 제반 수행 여건과 맞지 않는다는 그릇된 인식이 팽배하다. 이같은 풍조는 결국 비구 비구니의 위상이 모호해지고, 위, 아래의 위계질서가 무너졌으며 나아가 종단분규가 만성적으로 계속되는 사태까지 이르렀다는 시각이다.

지난 5월 원로회의 때 석주스님을 비롯 원로스님들이 율원의 설치를 강력히 제기한 것도 이같은 이유 때문이다. 개혁회의가 원로스님들의 뜻을 받들면서 염두에 둔 또 한 가지 이유는 초심 위에서 체탈도첩이 결의된 전 주지 규필스님의 명분을 약화시키고 서의현 前원장의 기본 사찰이었던 곳을 앞세워 개혁 이미지를 상징적으로 부각시키려는 의미가 있다. 개혁회의는 종립 율원의 법적 뒷받침을 통한 조속한 정착과 활성화를 위해 직제 교과 내용, 운영 방법 등을 내용으로 하는 [율원설치령]을 제정하는 후속 조치를 취할 예정이다.

개혁회의는 기존 총림의 율원이 세부적 규정이 없어 제도적 미비한 점이 많았던 것도 율원 활성화의 저해 요인 중 하나로 보고 있다. 따라서 은해사 율원은 주요 종단기구가 설치되는 9월께 가시화될 것으로 보인다.

현재 종단의 율사스님들이 논의를 하고 있는 것으로 알려진 계율도량의 역할과 운영에 대해 많은 의견들이 제기되고 있다. 율사의 양성과 자질 향상을 꾀하고 사미율의 등 기초율부터 광범위하게 연구하는 연구원과 이를 바탕으로 교육시킬 교육원, 현대사회에서 재해석이 요구되는 계율의 심판을 위해 심판원 등으로 구성되는 안이 조심스럽게 제기되고 있다. 이와 함께 여기저기 옮겨가며 실시되고 있는 행자교육원을 율원 내 상설화하는 방안도 제기되고 있다. 계율도량이 율사를 배출하고 이들을 중심으로 행자교육을 전담토록 한다는 것이다. 행자 시기의 철저한 기초교육이 필요하다는 인식은 오래전부터 제기돼 왔으므로 이럴 경우 습의와 율의의 통일, 율사의 위상 재고, 율원 활성화 등 1석3조의 효과를 거둘 수 있다는 견해다.

일부에서는 비구니 율원도 따로 둬야 한다는 의견도 제기되고 있다. 심판원의 기능은 더욱 필요할 것으로 보여진다. 예를 들어 최근 들어 활발해진 안구 및 장기기증 문제, 스님들의 납세 문제, 물고기 방생에서 인간, 환경 방생으로의 전환 문제등에 대해서 율학을 통해 공식적인 유권해석이 내려져야 하는 문제가 산적해 있기 때문이다. 이와 함께 현재 사회변화에 따라 동떨어진 계율의 재정리도 시급하다는 의견이 제기되고 있다.

이처럼 계율도량이 확고히 운영될 때 시대에 적절히 대처할 수 있을 뿐만 아니라 종단 기강도 확립될 것으로 보인다. 일타스님은 지난 24일 율사스님들이 모인 자리에서 '율원을 적극적으로 운영 발전시키겠다.'는 의지를 확고히 했다.

출처 : 불교신문http://www.ibulgyo.com

## 2) 「일타스님 게송」

實言告餞諸弟子等
波亂月難現 室深燈更光
勸君整心器 勿傾甘露漿

진실한 말로 내 그대들에게 전별을 고하노라.
파도가 심하면 달이 나타나기 어렵고
방이 그윽하면 등불이 더욱 빛나도다.
그대들에게 마음 닦기를 간절히 권하노니
감로장을 기울어지게 하지 말지니라.

## 5. 육문六文스님, 원력으로 비구니 전문 수행도량을 일구다.

### 1) 「[새해특집] 전국비구니회 11대 회장 육문스님」, 법보신문, 2015

세납 스물네 살부터 10여년을 선방 수행했다. 내원암에서의 산철 결제가 국내 첫 산철 결제로 알고 있다.

"71년이었다. 내원암에서 원주를 살았는데 해제를 하고 도반들이 다 떠날 생각을 하니 심난했다. 그래서 산철에 결제를 하자고 제안했다. 산철 결제를 하면 내가 원주로 외호를 잘 하겠다고 했다. 옛날에는 양식도 부족하고 땔감을 대기도 어렵다보니 선방에서도 산철 결제하기가 어려웠다. 하지만 내원암 산철 결제 이후 비구 선방에서 산철 결제가 생겼다. 그 후 백흥암에 들어가서 지금까지도 산철 결제를 한다. 결제를 해보면 봄과 가을이 공부하기에는 더 좋다."

당시만 해도 백흥암은 형편이 좋지 않았을 텐데, 큰 불사 시작하기가 쉽지 않았을 듯하다.

"10년 선방을 다니다 198_년에 백흥에 와서도 죽비를 잡고 몇 년을 살았다. 그런데 절이 너무 낡아 비가 새는 지경이 됐다. 큰 불사지만 겁이 나진 않았다. '부처님 이러이러 해서 불사를 해야 하는데 부처님이 도와주셔야겠습니다.'라고 발원만 했다. 물론 일은 힘들었다. 차도 못 들어와 돌을 등으로 져 나르며 길을 닦았다. 일한 기억밖에 없다. 하지만 한 번도 왜 이렇게 살아야하나 라고 생각해 본 적은 없다. 떠날까 싶다가도 '내가 가면 누가 와서 또 이 일을 하겠나' 싶었다. 내가 금생에 이일을 어쨌든 해야 한다는 생각 때문이었는지 불사는 순조로웠다. 17년을 했는데 나랏돈 하나 안 받고 할 수 있었다."

출처 : 법보신문 http://www.xeopbo.com/

## 2) 「[부처님오신날 기획] 군위 법주사 육문스님 대담」, 경북일보, 2019

　불기 2563년 부처님오신날을 앞두고 전국비구니회 회장 육문六文스님74·법랍 57이 회주로 있는 군위 법주사를 찾았다. 절을 찾아가는 연도에는 연등이 줄지어 내걸려 있고, 절의 축대 옆에 핀 모란꽃은 이른 더위에 꽃잎이 흐드러져 있었다. 약속 시간에 맞춰 찾아간 때 법주사 뒤 청화산靑華山 아래 자락밭을 메다가 내려오신 스님의 손에는 벌써 늙어버린 몇 줄기의 쑥대가 담긴 바구니가 들려 있었다.

　스님은 "일일부작一日不作 일일불식一日不食이지." 하시며 만남을 가질 스님의 거처, 일영당日榮堂으로 안내했다. 가사로 갈아입고 단정히 정좌하자 스님은 금세 선승의 모습으로 돌아왔다. 스님은 1시간 여 진행된 대담 동안 꼿꼿한 자세로 사자후獅子吼를 토하듯 또렷하게 말을 이어갔다.

출처 : 경북일보http://www.kyongbuk.co.kr/

## 3) 「은해사 백흥암 육문스님」, 『월간해인』 183호, 1997

　아우성치는 듯한 빛깔로 사람 질리게 만드는 영산홍도, 단아한 모양새에도 불구하고 어리무던하게만 느껴지는 철쭉도 두루 탐탁치 않거니와, 봄에는 역시 진달래라야 했다. 영동 할미강새암에 견뎌낼까 싶게 보드라운 꽃잎이지만 뜻밖에 야무져 보이고, 그 처연한 빛깔로 보는 이의 가슴을 찢어 놓는 이것들은 햇살이 비끼는 소나무 그늘 아래 자주 피어 더욱 은근하더니, 어느 때부터 이 꽃무리 바라보는 심사가 편치 않아졌다.

　진달래는 헐벗은 땅 가운데서도 산성 토양을 좋아한다니, 꽃보기가 쉬워졌고, 그것도 띄엄띄엄 다소곳이 피는 양태가 아니라 무리져 피어 있기 십상인 이즈음 형편의 속사정이 그런 것이었나, 가슴이 덜컥 내려앉게 되었기 때문이다.

경북 영천 팔용산의 동쪽 자락에 자리한 백흥암은 농사철에 때 맞춰 내리시는 빗속에서 고요하였다. 은해사 언저리의 솔숲 또한 기개가 가당찮아 보는 눈을 청신하게 하더니, 본사에서 백흥암까지의 5리 산길은 따뜻한 빗발 뿐 인적이 드물었다.

아직은 살아있는 땅인가. 진달래 무리마저 없이 물으른 나무 둥치들뿐이었다. 산길 끝에서 문득 모습을 나타낸 백흥암은 등 뒤로 대숲만 둘러쳐 놓은 채 단청은 커녕 수묵칠도 올리지 않은 알몸이었다. 백지사란 뚜렷한 이름이 있었던 백흥암은 신라 경문왕 대 혜철국사가 창건한 절이다. 조선조 때는 인조의 태를 수호하는 사찰로서, 큰사인 은해사의 창건 원찰이기도 했다. 지금까지 전해지는 극락전 건물은 영조 때 중건된 것으로, 아미타삼존불을 떠받드는 수미단은 사실적이고 화려한 목조 새김으로 보물로 지정되어 있다. 세 칸 팔작집이 단출한 극락전이나, 그 안에 모셔진 삼존불 또한 수미단의 격에 어울리는 것이려니와, 동서 좌우로 밭게 거느리고 있는 요사채 또한 관심을 끄는 것은 그에 걸린 추사 만년의 여섯 폭 주련 글씨 때문이다. '십홀방장'이란 현판이 걸린 서쪽 요사채의 이 주련들은 소식이 쓴 시를 내용으로 삼고 있다.

"내가 유마 거사의 방장실을 둘러보니/능히 구백만 보살을 받을 수 있겠네/삼만 이천 사자좌를/모두 다 받아도 비좁지 않아/능히 한 발우 밥을 나누어서도/시방의 무량 대중 배 불리리라."

당우에 단청을 올리는 것은 부처님을 장엄하는 뜻에서 그러기도 하지만, 습기를 막아 나무의 부식을 막고, 벌레가 꾀지 않게 하려는 실용적인 목적도 아우른다. 그러나 단청도 길어야 이삼백 년 갈 뿐이니 흐르는 세월에는 도리 없을 것이다.

단청으로 부처님 장엄하는 꼴도 점점 수상해져 갈 뿐이니 그 시속이 육문 스님은 마뜩치 않고, '나름의 방식'으로 떠받드는 극락전에 어울리도록 개축

하고 신축한 열 채쯤의 다른 당우도 모두 단청을 올리지 않았다. 네 해 전에 서까래와 대들보를 제외한 목재는 모두 우리 소나무를 써서 새로 지은 설선당은 해가 나면 아직도 송진이 흘러나와 손발이 닿을 때마다 곤혹스럽다.
 그러나 그는 그 송진이 자연스러운 옷이 되어 나무를 보호해 줄 것이라고 했다.

 산은 절로 높고 구름은 스스로 흐르는데
 한가한 구름에 잠시 나를 살아 보네.
 바람이 부는 대로 맡길 일이지
 어디로 흐르든 상관할 것 없네

 16년 전인 1981년도, 육문스님 나이 서른넷일 적에, 제방선원을 물과 구름으로 떠돌다가 이 곳에 언뜻 들러 하룻밤을 묵었다. 해우소 바닥에서 똥을 주워 먹는 고양이와 마주치게 되어 피차 놀라 그 다음날 새벽에 걸망을 지고 도망치듯 떠났었다.
 그러나 인사도 못 여쭈고 떠나온 것이 뒤늦게 생각나서 다시 찾아뵌 부처님은 그에게 눈물을 보이셨다. 극락전, 방장실, 심검당, 명부전, 나한전 등이 있었으나 시늉 뿐, 그 무렵 백흥사는 폐사나 다름이 없는데, 개금이 떨어져 얼룩덜룩해진 부처님 얼굴이 그에게 눈물로 읽힌 것이다. 10년 불사 길이 하도 고되어, 이제 그만 나 떠나렵니다. 싶을 때마다 부처님은 눈물을 보이셨다.
 "백흥암 앉은 터가 글쎄, 스님, 한 천 평은 되겠지요?"
 16년째 이 곳에 좌중하여, 이제는 고향이 수덕사에서 은해사 백흥암으로 바뀔 지경인데도, 절 평수도 몰라 마주앉은 객승에게 어림해 달라고 청한다. 이런 황당한 노릇이 있는가.
 다 지어 놓은 절에 나비처럼 곱게 날아들어 살고 있는 것도 아니었다. 극락전을 해체 복원하는 일만 하고, 실측하는 기간만 한 달이 걸렸다. 복원 불사란 신축의 몇 곱절 되는 비용과 품이 드는 일이었다. 극락전 앞의 두 당우도 본 기둥의 중간 중간에 새 나무로 쐐기를 해 박아 땜질을 하는 등 옛 모습 그대로 지키려 한 그의 성심이 엿보인다.

이즈막까지도 존이 없고, 공양간 무시로 드나들며 채공 노릇을 하려 들어 주지의 격을 스스로 낮추는가 하면, 몇 천 평이나 되는 밭의 울력뿐 아니라, 봄이면 나물 캐는 일에까지 손을 가만히 놓아두는 법이 없는 것이 그의 천성이다. 그 천성으로 절 앞까지 이어지는 길 닦기에도 돌을 손수 등짐으로 져 나르고, 파기와로 빗살무늬를 해 박아 토벽 쌓는 일까지 거들어, 도량 안팎으로 그의 손길이 미치지 않은 데가 없다. 그러나 필요하면 용처 밝히고 돈 타내 갈 뿐, 안살림은 모두 젊은 스님들에게 일임해 두고 산다.

그가 주지 소임을 맡으면서 이곳으로 함께 온 대중이 열댓쯤 되니, 찬거리는 지급한다 하더라도 쌀 장만하는 일도 녹록치 않았다. 신도도 없고 아는 데는 절 뿐이라, 인연 닿는 절마다 쌀 빌러가는 일은 온전히 그의 차지였다. 그러나 극락전 부처님의 명조冥助 또한 없지 않았으니, 간밤 꿈에 빈 발우를 들어 보이시며 배가 고프다고 하소하시는 백흥암 부처님을 뵈었다며 생면부지의 처사 한 사람이 쌀 여덟 가마를 싣고 온 적도 있었다.

'불사는 불가사의한 것'이라는 뜻이라고 그는 말했다. 먹을 양식조차 곤궁한 가운데 단계적으로 일을 치러나가니, 10년 불사를 원만히 이룬것은 부처님 법을 의지해서 바르게 살았더니 자연으로 이루어진 일이더라 했다. 선방 시절까지 남하고 시비 한번 붙는 일 없이 살았던 그가 '팔공산 호랑이'라는 별호를 얻게 된 것은 그간의 어려움이 어떠했는지를 역으로 짐작케 하는 일이다.

자그마한 몸매에 얼굴 또한 고우나, 또렷한 입 그의 성정을 짐작하게 할 만하니, 머트러운 짓이나 경우에 어긋나는 꼴은 절대로 그냥 보아넘기지 못하고, 나서야 할 자리에서는 몸을 사리지 않는다. 대통령의 여동생이라고 찾아

온 이에게 "권불십년이요, 화무십일홍이니, 뒷날 후회하는 일없이 하라."고 좋은 마음으로 일러줬다가 졸경을 치를 뻔했으며, 10. 27 법난 때 절에 들이닥쳐 수선을 피웠던 무리의 우두머리가 도무지 말을 삼갈 줄 모르는 그의 담대함에 놀라 뒷날 다시 찾아와 머리를 조아렸다는 이야기도 있었으니, 이마도 가장 든든한 뒷배경은 부처님이었을 터였다. 법난 이후 석 달을 미행하고 다녔다는 기관원에게 그는 "고맙다."고 했다. 살아온 길이 여법하면서도 청정하여 거리낄 바가 없었으나 알아주는 이 없었는데, 그 모습 다 확인했을 터이니 고마운 일이라는 뜻이었다.

지금도 종회의원으로서 자주 서울로 드나들어야 할 형편이지만, 상경할 때에는 수원서부터 머리가 아파오고, 개인적으로 혼연히 지내는 비구 스님들과도 공적으로는 얼굴 붉힐 일 허다한 것도 그를 곤혹스럽게 한다.

그러나 지난번 개혁 불사 때에도 비구니 스님들의 참종 발판을 마련하는 데 큰 몫을 했거니와, 비구니 스님들의 신망 속에 아직도 더 애쓸 일 남아 있어 어깨가 무겁다. 백흥암이 고운 토담벽에도 불구하고 겉보기부터 단단해 보임은 15년 넘도록 굳게 잠긴 보화루 빗장 때문일 것이다. 아니다. 그것 때문만은 아니다. 문경의 봉암사와 더불어 흔치 않은, 아니, 상시로 문을 잠가 속진을 스스로 단속하고 있는 유일한 비구니 수행처이기 때문일 것이다.

스스로도 스물네 살 될 때부터 10년 넘게 동화사 양진암, 내원사, 해인사 삼선암 등 제방 선원에서 한 철도 거르지 않고 수행을 하던 몸이었다. 안거 때뿐만이 아니라 내원사에서 머물 때는 산철 결제까지 도모했으니, 그 일은 아마 비구니 최초의 산철 결제였을 터였다.

이곳으로 올 때도 좌복을 걷는다는 생각이 없었으므로, 처음 몇 년 동안은 그의 마음을 안 도반들이 죽비를 들려 입승을 시켜 놓았으나, 때거리도 없는 가난한 절 살림을 꾸려야 할 그에게는 지나친 일이었다.

그러나 좌복 위에 앉지 못하는 그 아쉬움이 이곳을 온전히 공부할 수행처로 만들려는 각오로 이어졌다. 부모에게 큰 빚 지고 중이 되었으나, 문 잠가 놓고 가난하게 살지언정, 잘 먹고 잘 입는 편안한 수행은 하지 말자고 다짐했다.

정신의 자유로움은 그냥 얻어지는 것이 아닐 터였다. 사는 규모를 적정히 잡아 넘치지 않게 하는 한편으로 엄격한 자기 수행이 뒤따른 뒤에라야 비로소 귀하게 얻어지는 것일 터였다.

백흥암으로 출가하여 행자로 지내려면 각오가 남달라야 하니, 세 해 동안 허락 없이 바깥 출입을 할 수 없음은 물론이고, 몇 번을 덧대 기운 헌 옷에, 짝이 다른 양말과 행전 차림으로 스스로를 단속하면서 초발심을 지키게 된다. 그들은 곧 절문 앞에 성처럼 쌓아 놓은 나무로 불을 따 20분 만에 밥을 지으면서도 어려운 기색이 없을 만해진다. 또한 이곳에 함께 온 그의 도반들은 깨진 기와 사이로 빗물이 흘러내리는 일에도 아랑곳하지 않고 좌복 위에 앉았다. 산철에도 결제가 끊어진 적이 없거니와, 오늘도 명부전에서는 한 스님이 사분정근으로 하루 9시간쓰의 3년 기도 중이었다. 비구니 스님들만 오롯이 모여 사는 도량 두 귀퉁이 든든히 지켜 주는 호동이와 청룡이, '쑥이 삼밭 속에서 자라니, 받쳐 주지 않아도 스스로 곧게 커 나가는 대중'과 함께 사니 쓸쓸하지는 않을것. 쓸쓸하지 않은 뿐이겠는가. 하루 종일, 사철 내 독경 소리 듣고, 조성으로 서슬 푸른 납자들 옷깃 스치는 일만으로도 내생에는 필히 축생은 여의것다.

지금 백흥암에는 대중이 결제 때는 마흔이 넘고, 산철에도 서른이 넘는다. 일 거드는 처사와 보살도 일곱이나 된다. 어려운 시절, 문도 활짝 열어 오는 신도 늘리고, 기도나 재도 슬며시 이끌어 살림 보탤 법도 했건만, 이도 저도 아니었다. 이 층 누각 문 굳게 걸어 잠가 놓고, 신도가 아니면 명자名字에 상관없이 오는 손도 따돌린다. 멀리까지 오실 것 뭐 있습니까. 서울 사람은 서울서, 부산사람은 부산서 재 지내도 되지요, 그리 말한다. 3월과 7월 두번

말고는 기도도 잘 안 받는다. 두두물물이 부처님 안계신 데 없고, 절에서 올리는 기도는 스님 공덕만 쌓게 할 뿐이니, 대비주 삼백독씩 하면서 집에서 직접 기도하라 이른다.

법문도 잘 해주지 않는다. 한해에 많아야 두어 번 할까. 부처님 말씀을 2~3시간씩 일러줘봐야 도랑 건너다 잊어버릴 터임을 익히 알기 때문이다.

그 대신에 법당서 천 배씩, 삼천 배씩 절을 하게 하고. 2~3시간씩 기도하게 한다. 어려운 노릇이니 그것이 제게 보배가 되고, 열심히 기도하는 가운데 스스로 정리가 되게 한다. 이렇게 방을 치고 살아도 영천과 대구 지방 사람들이 주를 이루는 신도가 꽤 된다. 초파일 날에 달 등으로 연등과 백등을 마련하되, 시주액에 따라 크기 달라지는 법이 없고, 적게나마 신심으로 시주하는 할머니들 등을 부처님 코앞에 앞세워 달아 주니, 그 스님 믿는 마음이 더욱 돈독해지는 진짜 신도들이다.

서른쯤 되는 상좌들 가운데 공부하는 스님이 절반이 넘거니와, 세속으로 나가서 포교하는 문제를 들고 나오는 이에게는 맵게 이른다. 경전만 돌돌 외어 전할 일이 아니라, 수행과 정진에 힘쓰면 그 끝에 저절로 얻어지는 바가 필연 있을 터이니, 그 여법한 행과 산 소리야말로 상대방의 심금을 자연스레 울리게 되리라는 것이다. 그의 포교 방식이고 중노릇하는 방식이다.


열일곱 출가하기 전까지 한학에 조예가 깊었던 부친의 영향으로 통감까지 읽은 탓인가. 그는 글이 밝다. 요즈음도 조사 어록과 채근담 따위를 즐겨 읽는다. 바느질 솜씨가 맵짜고, 붓글씨와 그림 솜씨도 어지간하여 이즈음에도 주위에서 자주 그림을 청하건만, 모자라는 솜씨 가진 이가 저지르는 처사라고 스스로 부끄러이 여긴다. 모두가 부질없는 객짓이다.

어느 날 맞닥뜨린 어린 조카의 죽음에 깊이 상심되어, 죽음을 여의지 못하는 사람 사는 길에 깊이 골몰하다가 스님 한 분 만났다.

"스님, 극락 가토셨소? 푸르고 푸른 하늘 어디서 극락 찾으실라오."

"이놈아, 니가 우서에서 읽은 대로, 네 마음 안에 극락이 있다는 것이 바로 불교의 가르침이다."

부친이 명소에 주력하시던 아미타불이 그의 불전佛田이 되어주었을 터였다. 『금강경』도 『선가귀감』도 글자로만 읽히어, 전강스님에게 화두를 타서 제방 선원을 떠돌았다. 그러나 공부가 여의치 않으면 그는 자주 화장막에 들르곤 했다. 손수 파 옮긴 묘가 예순 기가 넘고, 서른 살 되기 전부터 염도 곧잘 했다. 그러고는 확인하곤 했다. 겉으로 보이는 형상의 끝은 이렇듯 텅 빈 것이다. 그 노릇 확인하고 배우기 힘을 쓰니, 새는 텅 비어 있어야 날 수 있음을 아는 까닭이다.

출처 : 월간해인(www.haein.org)

## 6. 성철스님과 향곡스님의 운부암 인연이야기

### 1) 「구름위에 뜬 조사도량 운부암」, 『월간해인』 495호, 2023

선원 목록을 살피다가 글자 속으로 단번에 빨려 들어간다. 구름에 떠 있는 암자, 자연이 감추어 둔 암자의 신비 속으로 들어가 보고 싶은 욕구로 전화기를 들었다. 은해사의 산내 암자란다. 며칠째 구름 속을 헤집는 날씨는 눈과 비를 번갈아 뿌리며 봄기운과 힘겨루기를 멈추지 않더니, 이윽고 폭설까지 퍼붓는다. 계절의 길목을 가로 막던 폭설이지만 자연의 섭리를 이기지 못하고 봄볕에 꼬리를 내린다. 춘설의 작은 흔적만 남은 팔공산 자락, 은해사 일주문으로 들어선다. 속살을 드러낸 너럭바위들이 계곡을 덮은 황토색 콘크리트의 암자로 가는 길은 너무나 한적하다.

절을 세울 때 상서로운 구름이 일어나서 지어진 이름이라고 전하는 운부암은 711년 성덕왕 10년에 의상대사가 창건하였다. 예로부터 '북 마하 남 운부'라는 말이 전해진다. 최고의 수행처로 북에서는 금강산 마하연, 남에서는 팔공산 운부암을 꼽았다. 팔공산 줄기가 용트림하여 내려오다가 좌청룡 우백호로 자리하고 그 기운이 덩어리로 뭉쳐져 천하를 누르고 있는 형국이라 한다. 좌청룡 우백호를 끼고 흐르는 계곡물은 마당 앞 연화지에서 합수되어 범종 형국의 연못으로 모여든다. 5곳에서 샘물이 솟아올라 5개의 연못을 이루는 5정井 5지池의 명당조건까지 모두 갖춘 곳이다. 조계종의 선맥을 이은 고승 대덕들과 선지식들이 두루 거쳐 간 수행처로 더욱 유명하며 경허스님을 비롯하여 만공, 동산, 운봉, 한암, 청담, 향곡, 성철스님 등이 수도하였다. 현 선원장 불산스님이 일타스님의 권유로 선원을 중수하여 수백 년을 이어온 선승들의 쉼 없는 구도 행렬이 이어지는 도량으로 자리 잡고 있다.

팔공산을 휘돌아 감돌며 한참을 따라오던 구름이 하늘을 덮은 노송에 걸려 연못에 빠진다. 거기엔 구름이 걸린 운부암도 담겨있다. 암자를 담고 있는 맑은 연못에서 구름을 건져 내고 내 그림자를 띄워 인사를 건넨다. 절집의 화려한 단청은 구름따라 떠나고 맨살의 갈색 전각에서 자연을 응축한 정갈한 아름다움이 흐른다. 보화루에 올라서니 정면은 청동보살좌상이 모셔진 원통전, 우측은 운부난야, 즉 선방이다. 왼쪽은 요사채인 우의당, ㅁ 자형 마당 한가운데 석탑의 일부가 단아하게 놓여있다. 우의당 벽에는 '쉿. 달마스님은 참선 중. 선원 스님들도 공부 중. 참배는 조용히….' 그림으로 화현한 달마 대사가 나그네의 뒷발을 들어 올린다.
신선들이 사는 구름 위의 절집이라 사부대중이 북적거리면 가라앉게 된다는 암자, 그래서 일까? 인적 하나 없이 고요로 채워진 절 마당, 바람조차 숨죽이며 지나고 있는 호젓한 암자다. 구름이 많이 모이면 비로 변하는 자연의 섭리를 말없는 가르침으로 일깨운다. 웅장하고 화려한 전각은 없지만 3월의 매화에 지독한 겨울의 눈보라가 있듯이, 티끌 같은 세상을 벗어나 참 나를 찾으려는 구도자의 깊은 고뇌가 눌러붙은 선승의 향기가 진하게 전해지는 도량이다.

한철 수행으로 "여기서 내 공부는 끝냈다. 이 멋진 도량의 진기를 빼라."라며 향곡스님께 자리를 넘겨주고 마하연으로 떠났다는 성철스님의 수행 일화를 들어 본다. 추운 겨울, 선방에 군불을 지펴 놓고 아궁이 앞에서 선정에 든 성철스님, 먹이를 찾아 내려온 노루가 온기를 느낀 아궁이로 찾아든다. 성철스님이 앉아 있어도, 아무런 두려움 없이 옆에 앉아 불을 쬐고 있다가 뜨거워진 불에 몸이 가려워진 노루는 성철스님 몸을 막대기인 양 비비고 문지르며 가려움을 긁고 있었다는 어느 노장의 목격담을 선원장 불산스님이 전해 주신다.

선승의 숨결과 체취가 켜켜이 내려앉은 보화루 빈 의자에 앉아 막연한 그리움에 젖어 본다. 성철스님도 새벽달 아래 바라지창을 열고 잠시 마음을 식히셨으리라....

눈 밝은 납자의 기다림으로 굽은 기둥과 대들보는 천장과 지붕을 나누어 이고, 단청을 흘려보낸 빛바랜 나뭇결이 천년의 시간을 갈색 침묵으로 지키고 섰다. 마음 한 점 모으지 못함이 가슴을 누르지만 신선이 사는 도량에 내 마음 던져 넣고 눈과 귀가 잠시라도 밝았음에 미련을 덜어내고 일어선다.

출처 : 월간해인 www.haein.org

## 2) 『벽암록碧巖錄』

殺盡死人 方見活人 活盡死人 方見死人

죽은 사람을 죽여 다하면 바야흐로 산 사람을 볼 것이요, 또 죽은 사람을 살려 다하면 바야흐로 죽은 사람을 볼 것이다.

출전: 불교기록문화유산아카이브 https://kabc.dongguk.edu

# 제8장 은해사에 가야만 들을 수 있는 이야기

## 1. 은해사 향나무 전설이 품은 불교적 의미

### 1) 『광찬경光讚經』 1권

菩薩摩訶薩行般若波羅蜜 不與過去當來諍 不與當來過去諍 不與現在過去當來諍 不與過去當來現在諍 不見三世與於空行般若波羅蜜 如是行者此乃爲行

보살마하살이 반야바라밀을 행할 때에 과거·미래와 다투지도 않고 미래·과거와 다투지도 않으며, 현재·과거·미래와 다투지도 않고 과거·미래·현재와 다투지도 않는다. 삼세三世는 반야바라밀의 공空에 의해 볼 수 없느니라. 이와 같이 행한다면 이에 행을 이루리라.

출전: 불교기록문화유산아카이브 https://kabc.dongguk.edu

### 2) 『아비달마구사론阿毘達磨俱舍論』

由待有別 三世有異 彼謂諸法行於世時 前後相待 立名有異 如一 女人名母名女

상대적 관계의 차별에 의해 삼세의 차이가 있다. 그처럼 모든 법을 삼세三世에 행할 때 전후에 대한 형상, 즉 시간적 전후에 따른 상대적 관계에 따라서 명칭이 성립되고 차별이 있게 되는 것이다. 마치 한 여인이 어머니라고도 불리거나 여자라고도 불리는 것과 같다.

출전: 불교기록문화유산아카이브 https://kabc.dongguk.edu

## 2. 흰쥐 검은 쥐가 대웅전현·극락보전으로 숨어든 이유

### 1) 『불설비유경佛說譬喻經』

曠野無明路 人走喻凡夫 大象比無常 井喻生死岸 樹根喻於命 二鼠晝夜同 齧根念念衰 四蛇同四大 蜜滴喻五欲 蜂螫比邪思 火同於老病 毒龍方死苦 智者觀斯事 象可厭生津 五欲心無著 方名解脫人 鎮處無明海 常為死王驅 寧知戀聲色 不樂離凡夫

광야는 무명의 길이요, 달리는 사람은 범부에 비유한 것이요, 큰 코끼리는 무상함을 비유한 것이요, 우물은 생사의 언덕을 비유한 것이요, 나무줄기는 목숨에 비유한 것이요, 두 마리 쥐는 낮과 밤과 같다. [쥐개] 줄기를 갈아먹는 것은 늙어가는 것이요, 네 마리 뱀은 몸을 이루는 사대와 같다. 꿀방울은 오욕락에 비유한 것이요, 벌이 쏘는 것은 삿된 생각에 비유한 것이요, 불은 늘고 병듦과 같다. 독을 뿜는 용은 죽음의 고통을 나타낸 것이다. 지혜로운 이는 [이처럼] 잠시뿐이고 천한 삶의 일들인 코끼리로 삶의 고통을 벗어나게 하는 나루터를, 오욕락으로 마음에 무집착을 관하니 이름하여 해탈인이라. 무명의 바다를 가라앉히고, 영원히 죽음의 왕을 내몰아 성색이 변하여 편안함에 이르니 범부의 삶을 즐거워하지 않고 멀리 여읜다.

출전: 불교기록문화유산아카이브 https://kabc.dongguk.edu

### 2) 『징월대사시집澄月大師詩集』

願乞一言垂諸後 余曰菴以彌陀名 自心則彌陀 彌陀則自心也 凡居於菴者 修自心 覓彌陀 則庶報指演長老信願之恩 何必記功而誇張之耶

[혹자가 묻기를] 이제 다행히 새롭게 하였으니 원컨대 한마디 말을 주시어 훗날

에 남기기를 바랍니다.

내가 [징월정훈] 말하였다. 암자를 미타로 이름을 지었으니 자기 마음이 곧 미타요. 미타가 곧 자기 마음이다. 무릇 암자에 거주하는 이가 자기 마음을 닦고 미타를 찾는다면 지연장로의 믿음과 서원의 은혜를 갚을 수 있을 것이다. 어찌 꼭 공덕을 기록하여 자랑할 것이 있는가.

출전: 불교기록문화유산아카이브 https://kabc.dongguk.edu

### 3) 『청허집淸虛集』

前後際斷 則自性彌陁獨露 而自心淨土現前矣

전후의 생각 사이가 끊어지면 자성 속의 미타가 홀로 드러나니, 자심의 정토가 눈앞에 나타나느니라.

출전: 불교기록문화유산아카이브 https://kabc.dongguk.edu

## 3. 환성사 전설에 담긴 수월관水月觀의 의미

### 1) 『능엄경楞嚴經』

佛告阿難. 汝等尚以緣心聽法. 此法亦緣. 非得法性. 如人以手指月示人. 彼人因指當應看月. 若復觀指以爲月體. 此人豈唯亡失月輪. 亦亡其指. 何以故. 以所標指爲明月故. 豈唯亡指. 亦復不識明之與暗. 何以故. 即以指體爲月明性. 明暗二性無所了故. 汝亦如是.

부처님께서 아난에게 말씀하였다. "너희들이 오히려 인연하는 마음으로 법을 듣기에 이 법도 또한 인연이어서 법성을 얻지 못하는 것이니라. 마치 어떤 사람이 손가락으로 달을 가리키는 것과 같다. 그 사람이 손가락으로 달을 가리켰기에 응당 달을 보여야 한다. 만약 손가락을 보고 달이라 여긴다면 이 사람은 둥근 달도 잃게 되고 그걸 가리키는 손가락도 잃게 된다. 왜냐하면 손가락이 가리키는 것은 밝은 달이기에 손가락을 잃으며 또 달에 의해 밝아진다는 것을 몰라서 어둠에 사로잡힌다. 왜냐하면 손가락이 가리킨 것은[體] 즉 밝은 달이라는 성질[性]이니 밝음과 어둠의 두 성질을 깨치지 못했기 때문이라. 그대 또한 이와 같느니라.

출전: 불교기록문화유산아카이브 https://kabc.dongguk.edu

## 가람유사 은해사 I
# 자료모음

초판 1쇄 2024년 3월 29일 발행

**엮은이** 동국대학교 WISE캠퍼스 불교사회문화연구원
**기 획** 동국대학교 WISE캠퍼스 불교사회문화연구원
**펴낸이** 박기련
**펴낸곳** 동국대학교 출판문화원

**출판등록** 제2020_000110호(2020. 7. 9)
**주소** 04620 서울시 중구 퇴계로36길 2 신관1층 105호
**전화** 02_2264_4714
**전송** 02_2268_7851
**Homepage** http://dgpress.dongguk.edu
**E_mail** abook@jeongjincorp.com

**디자인** 페이퍼붓다_김선주
**제작** 신도인쇄

**ISBN** 979-11-91670-60-8 (04220)

ⓒ 2023, 이 책의 저작권은 동국대학교 출판문화원에 있습니다.
ⓒ 이 책에 경주시(서체)의 신라문화체와 마포구의 Mapo 꽃섬(김민정), Mapo금빛나루(마기찬)가 사용되었습니다.

※ 잘못 만들어진 책은 구입처에서 교환 가능합니다.